U0064356

劉福春・李怡 主編

民國文學珍稀文獻集成

第二輯

新詩舊集影印叢編　第63冊

【王統照卷】

童心

上海：商務印書館 1925 年 2 月初版

王統照　著

花木蘭文化事業有限公司

國家圖書館出版品預行編目資料

童心／王統照　著 — 初版 — 新北市：花木蘭文化事業有限公司，

2017〔民 106〕

280 面；19×26 公分

（民國文學珍稀文獻集成·第二輯·新詩舊集影印叢編　第 63 冊）

ISBN 978-986-485-151-5（套書精裝）

831.8　　　　106013764

ISBN-978-986-485-151-5

民國文學珍稀文獻集成·第二輯·新詩舊集影印叢編（51-85 冊）

第 63 冊

童心

著　　者　王統照
主　　編　劉福春、李怡
企　　劃　首都師範大學中國詩歌研究中心
　　　　　北京師範大學民國歷史文化與文學研究中心
　　　　　（臺灣）政治大學民國歷史文化與文學研究中心
總 編 輯　杜潔祥
副總編輯　楊嘉樂
編　　輯　許郁翎、王筑　美術編輯　陳逸婷
出　　版　花木蘭文化事業有限公司
社　　長　高小娟
聯絡地址　235 新北市中和區中安街七二號十三樓
　　　　　電話：02-2923-1455／傳眞：02-2923-1452
網　　址　http://www.huamulan.tw　信箱　hml 810518@gmail.com
印　　刷　普羅文化出版廣告事業
初　　版　2017 年 9 月
定　　價　第二輯 51-85 冊（精裝）新台幣 88,000 元

童心

王統照 著

王統照（1897 ～ 1957），筆名王健先，生於山東諸城。

商務印書館（上海）一九二五年二月初版。原書四十開。

童心
王統照著
文學研究會叢書
上海商務印書館發行

童　　心

王統照著

文學研究會叢書

1925

童心

一位驀生的遊客，
吹着淒婉的笛兒，
在荒郁的門前彳亍。
少年的容顏全被憂悒的面幕
翳。
從曼韻的笛聲中，
吹出離家之曲。
一羣天眞的兒童在後面追逐，
—問語。

『我不向荒山中尋求金珠；
也不向陰林中覔得翠羽，
只已遺落的「童心」，不知藏在
甚?

1

童　心

石角，巖罅，美人的眉痕，骷髏的
空竅，
我曾經遍地祈求，十方覓取。
爲誰奪去？爲誰點汚？
終未能一見牠的遊迹！』

『你你終是人間世的懦夫！
你不是智慧充滿了你的肺腑？
向你的笛聲中尋求途迹，
牠淒婉的曲調能知你「童心」的
藏處。』

遊客緩緩地走下山坡去，
看落照映紅，
陰林影歛。
在無垠的「宇宙之鄉」中要向何
方歸宿？

— 2 —

童　心

恍惚中的意象將他昏迷。

長跪於自然的野神石像下，

吹着曼韻的笛聲，

苦楚，煩鬱，失望與歡愉，長思與沈慮，都似從其中傳出。

他的「童心」之魂，或能在這幽靜的時光中來泣？

3

目　次

蘸　心

目　　次

童　心

目次

童心

初冬京奉道中

一

絲絲的陽光，透出了清冷的空氣，

回望煙霧迷濛中，卻隱藏着一個古舊，奇詭，神秘，污穢的都市。

我年來的生活是在此中，

我這片刻的光陰，卻脫離了你。

二

推窗四望；

但見墜落的枯葉，舖滿了大地。

淺淺的幾道清流，卻是滿浮了塵滓。

頹廢的古剎，

荒涼的墳墓，

滿眼裏，
蕭條，
殘廢，
都嵌入無盡的天邊裏。

三

蕭條，
殘廢，
是世界上的天然景物；
也是新萌芽植根的潛伏勢力。
但待到熙樂的春來，
有潤澤的風雨，
有可愛的花樹，
便點綴的眼前萬物，都佈滿了
美妙，惠愛，愉快，壯麗！

鵓鵓鴣

一

鵓鵓鴣,鵓鵓鴣,

一聲聲喚醒了她的曉夢,

蓬蓬的秀髮,披在雙肩,薄薄的衣服,著在身體,便急急趕到屋後的園中去。

二

碧綠色的春韭,紅白色的桃李,

整整斜斜,遍種在水畦裏。

桔槔聲中——

都得了成長的生機。

一聲一聲的桔槔,一花一葉的美麗;一口一味的蔬食,全是她一顆顆的汗珠,一絲絲的氣力。

鐵道邊的小孩子

鐵道邊的小孩子,

赤裸裸的只知在泥淖中頑戲,
荆棘刺了他的足趾,

灰塵蒙了他的面目,

他卻是一味不知!

轟!轟!——遠遠的汽車來了!

他仰看着這巨大的怪物;

只有奇異,

只有羨慕,

只有跳躍和駡詈!

轉眼間一縷煙影卻不見了,他
不去追趕,——也不能追趕。

只是癡呆呆的在泥淖中頑戲!

仍然是荆棘刺了他的足趾!

灰塵蒙了他的面目!

蛛絲

屋角上一綫蛛絲，

只在微風中蕩漾。

蔚藍的晴天。

和暖的夕陽。

四圍的景色；——卻越顯得這一絲的光亮。哦！——一夜的驟雨。

一綫的蛛絲那裏去了？

變成了極小極小的分子，和了泥漿。

他還能工作嗎？

他工作的勢力，是永永無量！

不等得晴天，

不等得陽光，

一綫的蛛絲，仍懸在屋角上！

童 心

紫藤花下

一

暖軟的春風，
一陣陣吹人如醉。
熱烈的花香，
散布在晴空中，彷彿催睡。
她的柔髮紛披了雙肩，
斜倚在紫藤花下，
微微的細鎖眉痕，表現出她的
心絃凄澀！

二

『出巢燕兒，唱着呢喃的嬌歌。
稍紛飛蝶，舞着翩翾的羽翼。
是愛的心情！
是眞的美麗！
他呢！

紫藤花下

天涯外看遍垂楊，

寫盡詩思，

只找不到這宛宛春光的痕跡。

紫藤花下，

碧綠的翠葉陰裏，

記得不？——

有個人兒凝佇！……

三

『東風啊！你可以與我方便，

幾千里外，

梟蕩着我的無限悵望，寄與他

個心電。

道我平安！

道我在紫藤花下，

收拾起飄蕩的花片。

放在硯池裏，

寫幾個：「我願與你相見，又不

忍相見!」

相見不如不見!

只將這鐫上心痕的花片,夾在
他的詩集中,

任風吹蟲蝕,香痕兒永久不散!』

秋天的一夜

一

禿盡了疎林,

落盡了黃葉,

碧空的江波,

褐色的山壑,

中映出傲霜的丹楓,葉兒紅灼。

這是我空想中的秋色,

北京城裏,依然是空氣惡濁。

二

遊人的絡繹,

汽車的吱吱,

何曾有一點兒秋氣淸潔。

他們那曾作過秋夢,

到晚來,

只有個淡淡的明月,對着個寂

寞的我!

三

月明的上弦期過,

不多時便隨着淡雲西落。

暈黃的影兒;

微白的面龐,

爲甚麼她偏向我藏躲?

哦!莫非是她不願意以愁慘的

面目見我!

那知我潮湧的想思,

正要向你宣洩!

星星的光雖多,

我又如何!

四

風聲悽切,

蟲聲斷咽,

更從那裏來的笛聲相和?

綐不管我被他們，

惹起了萬千感覺！

欲說難說；

不說難咽，

只微微長歎！

驚去了燈蛾。

五

生命啊！

是欲海中一個微波。

時間啊！

是宇宙中一個宿客。

什麼流轉？

什麼創作？

頓，漸，

迷，覺，

都是一般「可憐蟲」打不破的謎一個。

便打破了,又待怎麼?

六

宋玉說:「悲哉秋氣。」

阮籍說:「白日忽蹉跎。」

豈是「秋氣悲,」

更說什麼「白日蹉跎。」

一分一秒一剎那,

有幾人不似從秋中過!

又豈惟拴不住的白日,方是蹉跎。

歡樂苦少憂患多!

哦!

無窮的細胞物體,

誰不是霜中的秋葉!

七

腦中被思想幾乎迸破,

紛擾的塵生,

難找出個歸著,

只對着一閃一閃的燈光思索。

八

思亂了!

神倦了!

便和衣向牀上橫臥。

眼瞼爲甚麼永遠難合?

但見那冷寞的寒星;

一個一個兒,冷笑向着我,

『你眞是癡子!何苦來去咬破

這玄秘的智果!』

這似乎是他們對我說。

蕙心

冬日出京前一夕示唯民

一

生命的浪流,又消滅了幾個泡沫?

聽:

簷際的微風,

深巷的犬吠,

從遠來的微浮似蕩的市聲,和紅光灼灼的爐火畢剝。

斷斷續續,

若有若滅,

卻激起我的心潮嗚咽!

二

我們說:

………往事如煙滅!

我們想:

………亂感相交迫!

生命的光向那裏寄託?

窗外槐樹的枝上;

早脫盡了黃葉,

他曾經躋過了幾場微雪。

在今夜!

晶稜的雪花,早已找不着。

三

哦!

浪漫的想——我想:

蜂蜜的馨甜,

嫩花的晨香,

寒夜中鄰家的三弦響,

山中的鐘韻悠揚。

獨有他們使我想!

這時向燈前凝望,想到他們的生命,似乎都喊出一種「神祕」的聲;

觸到了我的耳旁。

四

種種印象,——種種清爽的印

象,

在我意中來往。

今宵爐火光裏,

明天霜枝道上。

暫時的分離:

有什麼不忘?

有什麼難忘?

五

我曾讀過夏芝的幻想,(一)

藝術的生命,使少年癡狂,

看誰不癡狂?

我們呵,

誰曾是聽過生命源泉的滴響?

六

你說:不解的愁思充滿了你的肝腸,

是不是染過的肝腸?(二)

我知道你的思想是:

後不見來者,

前不見已往,

宇宙的偉大,人生的美惠,沒處找到,

卻只聽的簷前風動的樹枝響!

(一)夏芝爲愛爾蘭最有名的文學家,富有新浪漫派的思想,他曾作小說一篇名爲幻想;叙一少年,因嗜藝術而成狂人。

(二)印度詩人葛拜耳有句詩是:「肝腸已染了!」其意以肝腸曾爲愛的顏色所染過。見曙光雜誌第二卷第一號我所作的印度詩人葛拜耳的略傳及其詩之表象文中。

[illegible]　心

愛　情

愛情是鐵鍊，
愛情是絲綿.
怎能拗得折?
怎能撕得斷?

鐵鍊鎖住了我的心，
絲綿包纏了我的情感，
向那裏去找到利刃，
　和光明的火焰?
去拗折鍊，
　燒斷綿，
赤條條的心靈，永不要再被牠
們的點染!

悲哀的喊救

悲哀是藏在蓮花的蕚裏,

柔嫩的瓣兒,便是悲哀的皮膚。

芳香的花蕋,是悲哀的心臟。

那個悲哀的皮膚,不是一觸卽污?

那個悲哀的心臟,不是由芳香中生出?

哦!上帝的護持!願將悲哀永永保得住如蓮花的柔潔,不使牠掉在泥土!

悲哀是孕育在詩境裏:

想像作了胎盤,

狂思作了哺乳。

那個想像,能在喜愉之境內逍

遙?

那個狂思,能容你在自由天國裏馳驅?

哦!上帝的護持!願將悲哀永永發育在詩境裏,不使牠受了一絲毫的「唐突。」

悲哀是動蕩在雲影裏:
隨了冷與溫的風馳逐,
挾着越度海和山的勢力。
去也難跡,
來也難思,
只矇朧地如雲影的恍惚。
向人們不幸的心中攻擊。
哦!上帝的護持!願將悲哀永永散布在青天下的雲影裏,不要向人們襲擊去!

春夢的靈魂

春夢的靈魂，

被晚來的細雨，打碎成幾千百片。

生命的意識，隨着點滴的聲音消去。

幻彩的燈光，

微微搖顫。

是在別一個世界裏嗎?

悽感啊!

紛思啊!

幽玄的音波，到底是觸着了我的那條心絃。

玄妙微聲中，已經將無盡的世

界打穿。

我柔弱的心痕,那禁得這樣的

了擊啊!

春晚的細雨,

我戀你的柔音,

便打碎了我的靈魂,我也心願!

我更願你將宇宙的一切靈魂,

都打碎了!

使他們,都隨着你的微波消散!

花架下的薔薇落了春將盡了

你潤澤的心思,尚要保存他們

的生命!

一點,

一滴,

你只管衝破了我的靈魂的夢

境,

但那架下已落的薔薇,却醒了

沒曾?

童　心

生命之火燃了

在學燈見振鐸兄此詩也用同題作此一首

酷熱日光下的腹疼的病夫，
他的心潮，沸熱還是凝結？
暴雨後池下的蛙聲，
是要衝破了寂靜，還是無味的『聒噪』？
試問宇宙的生命，誰沒有他的火光熱烈。
誰肯只在靜默的夜裏生活？
燃啊！燃啊！
我們要共同燃起，光明的照在『生』的路上渡過。
沈悶的死，
『蜉蝣式』的生，

可憐的人們,你們忘却了吧!丟掉了吧!

設如在黑暗的前途,願去尋到我們心愛的情人啊!

我們須燃起生命的火!

童心

疲倦

灰暗的光線,

乾枯的草葉,

由微小而平凡的物質的生命裏,給予了我們多少的疲倦。

委弱的精神,

爲什麼偏埋伏在我們的心意裏。

噪晚的蟬聲餘音,都藏在綠陰深處。

夕陽散布的紅光內鑠,落在地平線下。

萬象的寂寞虛沈,

使我們的心意,沒了着處。

夜幕下了,

疲倦却仍然繼續他的工作!

一個披髮的小女兒:——她髮上的自然柔香,惹得道旁的飛蜂向他飛繞。

斜倚在道旁的石上,

眼瞼兒疲勞的向着前路的未沈之光,手中無力,掉落下她的鐮刀。

一個負柴的老人:

氣喘着,一步步的挨上山岩,

由他僂背的表象,便可知他的年光,已與土地相近。

這是疲倦的時光,與疲倦的人生嗎?

童心

夜漸黑了，

從海中吹來的冷風，散布開疲倦的力量，越發廣遍。

沒有聲響，

沒有人影，

長行的夜遊之神，却似已帶着人們上了征途。

那裏的怪鴟在林中哀鳴?

在沈寂而玄祕的空氣裏。

親愛的!

你不信他能使宇宙的生命震驚?

然而光線却越發沒了!

乾枯的草葉的影子，也隱在黑暗的幕下，

只有晶瑩的露珠,在星光底下亮着。

疲倦的口吻張大,
嚙人的白齒,也滲出了血痕!
人們啊,只是在夢中安穩!
可憐的我們的生命,止稱得在夢中安穩!
然而疲倦却永不能放我們的夢境,得度過平靜與自由之徑。

急雨

朝來的急雨,亂迸在絲瓜架上碗大的碧葉,都添上一層潤鮮的浮光,

那雨聲,越添了大的聲響,然而我聽了越添沉靜。

無量數生命的微波,只是在碧葉上跳動,

落下了流在地上,

滲入污泥,便消失了他們的晶瑩。

送涼的東風中,

吹來了一隻飛的小鳥,

却躲在瓜架下,散披着羽翎,

去迎那急雨之波。

翎毛全浸在水裏,

他用紅尖的嘴,去啄那碧葉上的脈紋,

只靜靜地不作一語。

『他沒得巢歸去嗎?』我心中突有這樣的微感:

但又是一陣急雨來了,

白珠的波光,映斷了我的思想。

雨過了,

日影在雲罅裏微現出淡光。

瓜架上的碧葉,都迎風搖顫。

『小鳥却往那裏去呢?』我又是這樣的微感:

忽聽得門鈴響了,

一個綠衣的郵差進來,

於是我一切的思想,便埋藏在

童心

心絃的波音之下。

河　岸

是菱葉嗎?

是菰蒲的嫩芽嗎。

都被河水擊上些清淨的波兒。

將近黃昏的斜陽之色,

由城角上反射來紺黃的反影,

和菱葉菰蒲的綠色相映,

宛同半幅的圖畫,

啞了聲的黃鸝鳴着,

初夏細微的蟬聲,也發出輕微的音響。

都和石橋東側浣衣的人們的杵聲相和。

她們自然的,各用着腕力替他人浣衣,

却也一樣的受了自然的美惠;

童　心

河水汩汩北向流去,彎曲的灌漑了城後的稻田,

却也一樣是能給予人們的福惠;

河旁邊的一個草棚下;

滿坐了些紗衣大扇的怠惰者,

無意識的窮談;

或則去聽那白手油髮的婦人們,彈出來的悠盪的絃聲。

斜陽沒了,

人們都成了星散了,

而菱葉菰蒲的鮮碧的光,與美麗而絢爛的斜陽的顏色,

却獨自照着浣衣的人們,在她們歸去的途徑。

南風吹着野草的微馨,

能慰安他們終日的疲勞,

河　岸

星光亮亮地，罩在每個人的身上，
當他們各人，來到自己的門首。
然而星光越亮了，
河中的水，越不斷的向北流着，
靜夜的幽閑；
却見岸旁的茶棚下，
還透出燈光，與笑語的喧樂。

35

誰是我的最大的安慰者

誰是我的最大的安慰者?

紫光之酒吧;

鮮蕚之花吧;

明光之火吧;

靈魂中之憧憬呢!

唉!餓死的生命,

那裏去找到滋養之品?

蒼空之風不能逝我,

秋月之光不能染我,

伊鬱的心情,

誰能給予我以清新喜樂的絃音呵!

醉了!

誰是我安慰者

人間正悲哀着;
世界流轉着,
　　動蕩着,
我終是失敗的憂鬱者呵!
誰是我的最大的安慰者?

綠漪之波光散了,
靉靆之雲影落了,
到底是傷心的世間呵!
夕陽下的白色的紙窗,
引動人多少悽戀而心痛的幻想!

如此罷了!
在這虛浮迅疾的世間,
有甚麼你可留戀?
心腸中已染了多少的悲哀?

童心

小小的弱草,可經得清秋霜痕
的重打?

心靈在暗裏跳舞,
可是爲了喜悅嗎?
前路之光,——可愛依的明光,
遠呢!遠呢!
溫娜司終不信還在世間呵!
在陰鬱的林中;
夜中只聽到悲切的戰慄!
文神却早暗默了她的言語。

屋中正烤着死屍呢,(一)
人們正慘忍着笑樂!
同情早隨了永逝的河流流去!
只剩下「慘淡」,在塵土上跳舞!
餓死的生命,

遺留在塵土的上面，
誰曾眞與他以滋養品？
生命原是犧牲的應分者呵！
誰能眞悲愛他？

心中黑暗的影搖起了，
將引導餓死的生命，
到無盡之海中去。
人間的悲慘者呵，
你終須也有個歸處？

誰是我的最大的安慰者？
我終向何處尋覓？
任着「生命」的拋棄吧！

你只有包着眞誠的眼淚，深藏在詩人泣的心絡中吧！

童　心

(一)見夏芝的 The Twilight of Celtic 中,大意說是妖人在一深林中,於夜間在火爐上烤死人之屍,而爲一行旅的人遇到。我以爲頗有象徵的意味;故用牠在此詩中。

反調的音

蜜一般甜適的心靈，

刃一般痛苦的人生。

要向冰雪上狂行去，

可能赤露着雙足？

要向沸湯中的海洋躍下，

可能裸露了我的全身？

靈魂之鳥的歌聲；

美妙地沈迷地、誘惑我使我去到「可望而難即」的樂園。

鐵鐶之鍊的強力，

束縛我、攔阻我、使我空費了躊躕？

哦！ 前路的火炬燃着；

明星在空中耀着；

夢影只是在我身旁戰慄!
心底的絃音只是淒寂!

哦! 惭愧的生命呵!
愛在那裏?
力在那裏?
活耀的光明,卻又被暗影
遮去。
要追隨你們呵!
可惜是已斂了安琪兒的金翼,
沈散了溫娜司的心意。
哦! 愛的源泉在那裏?
力的本體又在那裏?

泪痕喲!
灑下去,徒占了空閒的位
置。

夢痕喲!

纏綿着徒費了時間的意識。

獨有冷冽的冰雪,

沸湯般的海洋,

任你行去!任你躍入!

心底的絃音,沈寂了!枯澀了!

緩緩地,悽悽地,變成了不諧和而相反的調子。

愛在那裏?

力在那裏?

心底的絃音啊,

你可能終唱着凱歌,來賀我人生的勝利?

你還是一任冥想的甜適,與現實的痛苦,

童　心

隨了不諧和的音調,

永久……永久地送入墳墓?

過　去

樹影也見得瘦削了，
月光也顯得愈見清寂。
唉！時間是過去了！
所留與我的，卻在何處？
生命在精神界躍動着；
思想在無盡的宇宙裏衝決着，
使我狂惑！使我痴迷！
然而時間是過去了！
所留與我的，卻在何處？

街頭上小販的長歌，
尾聲還蕩在空際。
室中的爐火熄滅了，
餘灰還映着微紅。
然而時間是過去了，

所留與我的,卻在何處?

意想中芬熱的香,還繼續嗅着;
夢境中忐忑的感,還繼續覺着。
然而時間是過去了,
所留與我的,卻在何處?

海的餘光

這是我回憶的景物；
與回憶的感思。

夕陽下平靜的海光，
由層疊的波浪中，返射出無邊的美麗。
只是美麗啊！
更想不到有什麽神奇。

飛翔的海鷗，
總離不開溫柔之水波的平面。
嬝娜的漁船，
飽吸着輕清的微風。
幾千萬道曲折的金光，
被嫋嫋地夕陽返照着，

金黃色的沙灘，倒浮着多少樓臺的倒影。

哦！幻動的，沈麗的海上的餘光，使我屏息了呼吸。

正當我對海獨立，

突來的相思——突來的奇偉的記憶，衝破了我平靜的心意。

我可能帶了她神祕的目光；

與濃郁的髮香；安靜的氣息，

同到此地。

預想呵！

對着海波凝注，

向着夕陽沈思。

奇麗的人生的頃刻，與自然的偉大相遇。

愛的泪痕，也借着海光洗滌。

平靜的晚風吹動，

並立的人影，在沙上浮蕩。

渺小的我們啊！

可也配得上餘光——海上之餘光的沈麗。

秋星的眼光，射到海面，

用他們那溫柔的、晶明的光亮，來照着我們的立處。

他們似是帶了不可計數的安慰與喜樂。

這時的安適，卻沒個名辭，可以形容出。

但海上的餘光：

仍在暗淡中，浮現着，看得見她

微笑的面部。

彼此的靈魂的悅慰,
被餘光集合了,交錯了,更沒個
微痕的界限,能以找得出!
嘔嘔的海鷗的聲音沒了。
拂拂的晚風的弱力息了。
萬象的平靜沈寂,
只有我們所立的地處。
廣大的宇宙,似乎都投入神秘
之窟,
只有秋星的目光,與海上的餘
光相遇。

哦!記憶罷了!
預想罷了!
也或者能分析出我思潮的奇

翼!

「這不過是詩人的幻想,」有人這樣說:

我只是微弱的歎息!

童心

沈迷的坐夢

爐火畢剝的微響，
街頭上嘣嘣的三絃的聲音，也在冷夜裏的空中波動。
寂靜中疎落的悽音，
想正有個盲目的不幸者，在前巷中彳亍。

暗慘的燈前，
或者說我是個比較的幸福者。
爲甚麼書旣𡡉讀，
卻願聽這些瑣屑的音響？
爲甚麼不向智識之領域中探求，
卻好向不關心處，逞起思想之鋒？

沈迷的坐夢

絃音似乎去遠，
爐火的畢剝的聲音，更加微細。
我更何從思起，
漸漸地，將一切紛擾；與虛空的
思想，全沈入坐夢裏。
聽呵！
那不是心海的潮音嗎？
挾來的狂風冷雨。
聽呵！
那不是心琴的幽調嗎？
彈出的澀音與泪痕。

沈迷了幻思的靈魂，
只望從夢中引出來的甜蜜，
好慰解他的渴飢。

童　心

但有沈迷也足了，

幻思的靈魂，當不至於餓死！

片時坐下的夢境，是被爐火的微聲，同街上的絃聲送來的。

不過衆聲息了，

小坐的夢境醒了，

所餘下的，只是平淡的沈痛，——無可想像的沈痛！

微雨中的山遊

當我們正下山來;

槭槭的樹聲,已在靜中響了,

迷濛如飛絲的細雨,也織在淡雲之下。

羊聲曼長地在山頭叫着,

拾松子的婦人,也疲倦的回來。

我們行着,只是慢慢地走在碎石的斜坡上面。

看啊!

疏林中春末的翠影,

為將落的日光微耀。

紛披的葉子,被雨絲洗濯着,更見清麗。

四圍的大氣,都似在雪中浴過。

向回望高塔的鐸鈴,似乎輕鬆

的搖動，

但是聲太弱了，

我們卻再聽不見牠說的甚麼。

漫空中如畫成的奇麗的景色，

越顯得出自然的微妙。

斜飛鼲翼的燕子，斜飛地從雨中掠過。

他們也知道春去了嗎？

下望啊！

煙霧瀰漫的都城，已經都埋在暗光布滿的雲幕裏。

羊羣已歸去了，

拾松子的婦人，大約是已回了她的茅屋。

我們也來在山前的平坡裏，

聽了音樂般的雨中的流泉聲，

只戀戀地不忍走去！

最難忘的

最難忘的,
也就是最苦於記憶的。
最難忘的;
不是歡愉之日的遊讌吧!
　　美麗之夜的酌酒吧!
　　明月下的絃聲,與
　　山頂上的放歌!
不是,一切都不是的。
是風雨聲中的良朋夜談?
是街頭上冒雪的乞兒的呼救
?
或是十年前,故居的梅影,在簷
映着火光拂動?
不是;一切都不是的。

最難忘的

許多模糊的印象,

都在我記憶中,

追思起來,

只有似近同情的憐惜,與留戀!

只感迅速的流光,棄我而去!

更得有甚麼最難忘的?

微小的事實——也可以說是微小的事實——罷了!

搜尋徧我的思想中,

更不能寫出,

但永不忘記!

卻永苦去記憶!

因記憶已被牠吞蝕了去!

童心

童時的遊蹤

故鄉的山色，

是微弱而平淡。

當那秋日曬曬的時候：

我們步上山崗，

看樹下的草根，已微微地閃出黃色。

平巖下的佛殿，

鐃鈸聲，與長調的誦經聲交互着，

正有個鄉村的婦人，在莊嚴的神像下膜拜。

是多少的眞誠幽純的衷心呵！

如下回思，我忍得斥絕這是可哂的迷信？

步下山坡了，

溫暖的斜日，

愈使得我們留戀這微弱平淡的山色。

流水瀸瀸的音響，

迅激地，穿透平列而參差的石齒。

秋風吹大了，

衣衫都輕浮微動。

我們蹲立在水中的亂石上面，

由自然中，有不可名言的感興！

那時我們正在童年，

甚麼詩思，

甚麼懷念，

何曾侵入到我的思域之內。

但由靜默中，已自然地會得好多的領悟。

童心

他們汲水烹魚，
慢慢地在風中對酌，
也似乎有些別致的意味，
但我不能深透的領略。

夜幕將要籠下了；
一日之遊，
終留下了不可磨洗的印痕，
在夕陽的峯巔，
與亂流的石齒裏。
是童年的遊蹤之一罷了，
而多少引動的感想深深地長
鐫在我的心底！

夢裏的花痕

拂映着飄動着的花痕，

從我夢裏失去。

是二月的破曉之前：

曉鶯正在湖濱的柳上啼着，

柔脆的嬌音囑我說：

『花痕是永遠咀嚼在詩人的心裏，

你要向何處覔到？

一瞥之潤美的花痕，

正是人們之靈魂的安慰者！

拂映着，

飄動着，

已經將人生來融化了！

我曾看見他——詩人——心底下的嬌蕚，將花痕深深包住。

童　心

你冥想的癡子,你要向夢中覓
去呵!
須先鍊就一副純美與微妙的
心意!。

大雪中

一夜的大雪,遮遍了街頭的石路,

我在爐邊,正默默地空想幻起,

這也是工作啊,在自己的園地!!

突有一個細微的聲浪,來阻斷了我的思路,

凍弱的冬蠅,在水壺上來往,

但他的餘力已用盡了!

上有溫氣,而下有大熱的源泉,

他爲取「生」,並不顧「死」的慘苦就在足下!

煩擾開始來敗了我的沈思之興,

凝視他將如何呀?

不值錢的生物!

又是一個哀鳴的聲浪來了,
是門外那裏來的過客?
慘怛地呼出求助之聲。
無用的乞兒吧!
『有人蹴踏他,只要有片麪包遞在他的手中,也絕不會反抗呵!』
我偶然的這等想。

於是我的思路,又活舞在智慧之鏡裏,
但冬蠅已被爐火烘死在紅的鐵上;
而門外的哀音,還由悽顫中,唱出求助的調子!
慚愧呵!

大雪中

我空有智慧之鏡，
何曾明照得出這一幅不值錢
而悲哀的生命之流民圖呵！

落英

我徘徊地緊鎖起我的愁思,

到一個荒源地方。

秋榆的乾枝響着,

來作夕陽淡紅的寂寞。

汙水瀦滿的池邊,

白了穗子的短葦叢中,

有幾枝已經敗落的野菊。

秋風會有悲與憐的心腸嗎?

祇賸了一朵長瓣的菊花,罩着粉紅色的霜霰,

因爲被他自己的色素所返映着。

沒意思的立定,

落　英

欲從那裏想起?

大約我的心絃,正鳴着吧!他有

慘淡的歌詞是:

『落葉;乾枝;瘦菊,你們連合的印

象,都嵌入我的思波澹蕩的影下』。

可憐啊!不是。

悲傷啊!也不是這等思想。

但嬾嬾地酸思,只在眼上的淚

痕中浮晃。

不情的秋風,

由曠野中掠過,

却偏不能赦恕一朶菊的罪惡。

淡綠的花蒂散了,

一瓣的長鬚,那里抵得過黃昏

的秋風的權威,

都浮在汙水的亂流之上。

我遲疑地想:

『拾取吧!已經點汚了的清潔,還能够有復回的權力嗎?

但夕陽照着;乾枝響着;一樣是他親密的夥伴,

你能看見,聽見他的夥伴們慘淡與悲歎之聲與色,而一任他沈淪汚穢嗎?……』

哦!我戰慄的恐懼!的確啊

我是一個怯懦者,

我的手也一樣的潔白,爲甚麽向汚水中洗過?

躊躕!重復的躊躕過!

我愛他啊!我可憐他!……

落　英

哦！我終于勝利了！
污穢的野菊，已經在我的手上，
夕陽照着；乾枝響着，
聯接起我心底的愁思，在無盡的曠野裏！

71

童心

未來的陰影

在夢中嗎?
或者是半眠中的狀態。
桂花甜嫩的微香,由窗中透過,
使我的心境,添了多少的欣慰,
與平靜的安悅!

我安悅的尋思着:
朦朧中曾見一個修長的陰影。
壓迫住我的呼吸;
引逗起我的恐怖,
彷彿將我沈在暴風雨的權威中!
唉!神啊!你們可也曾有悲憫之心,
將這個陰影移去!

未來的陰影

道旁的蘆荻，索索地響着，

然而並不能看見是甚麼顏色，

陰影只在我身後追逐。

歌聲悠遠地起了，

『未來是在你的眼底、在你心頭上蕩漾，未來有表象陰影卻在你的身旁！』

蘆荻中竟有幽靜而奇異的音樂。

歡迎啊？還是逃去？

我迷茫中遲回地想。

颳聲大了！

海水也猛烈的狂吼！

我更無判斷的聰慧，

而陰影卻遮斷了前路。

73

蘆荻又重復歌起:

『愚笨的人啊!你的眼睛,未曾清白的睜啓。你的心靈,也沒曾在一個甜淨的地位。

風聲中吹來的陰影,——未來呀,將你縛住!』

少年的夢

戰鼓響了!

進行曲已開始唱起。

多少沈重的馬蹄聲下,

多少興奮的勇力平自鼓起,

戰啊!

血海中的一條光明之路;

戰啊!

精力的人生,給夥伴們多少幫助。

血影中搖動了多少頭顱,

枯骸也在草場上跳舞。

暗淡的景色之下,

正是少年的夢境回復,

誰是怯弱之兒?

誰是天驕之子?

童心

命運之神在上面:

撚髭笑着;——他只向無力者、
戰敗者,作冷笑的、譏誚的歎息。

他似是:

詛許枯骸的跳舞!

血影中還容得延竚啊?

還容得冥思?

只有興奮!只有鼓舞!

『少年的人啊!

夢境儘管作去。

不如此啊,你們可有個燦爛的
藝術之宮、快樂之府;更那裏找到
個安琪兒用溫軟的唇來吻你!

戰吧!

戰鼓響了!

進行曲已開始唱起!

戰啊!少年們!』

星光明了，

如血的夜合花，也開遍了大地，

風中喊出努力的吼聲，

於是夜色，如入了深谷。

馬蹄聲下，多少的激動啊，喊呼啊！

血光在黑暗中揮舞。

於是東方微明了，

少年們也似夢醒，

飲着血衣上的清露。

他們又跪拜在命運之神的足下請求賜予他們的福祉！

命運之神作平常的微笑道：

『繼續啊！--直到墳墓之口張開迎你！

戰啊戰啊！一直到你的生命歸到塵土！』

童　心

我行野中

我行野中
在浪漫的意境裏，
抱了無謂的悲哀，
作無目的的行程。

霜花晶明地，罩滿了茅舍的屋角。
滿地的枯枝，被風吹起與草根相結。
是啊，
一個怎樣蕭瑟的天氣！
廣漠的郊原中，沒聽得一個凍鳥的哀鳴，
沈沈的心思，
只向無盡的天邊下，裹了灰雲

之幕裏凝望。

微風吹起,
似在大野裏,平添了多少歎息。
蒼鬱的松林,似相對語。
多少神秘的悲哀,從微動的聲響中聽出。

偶然遇到一個匆匆背包的壯年的旅行者,
冒着晨風,他要向何處?
不認識的夥伴啊!
你是否有個行程的目的?
多憂鬱啊!
在我眼底;
在我靈魂的彳亍裏。
節候的轉換,何曾有絲毫的補

童心

益人生,

只不過在迴旋的生之流中,

隨飄蕭的風聲,作沈思的歎息!

野中之風,——晚秋之晨的風,

我喜悅你嗎?或是咒詛?

我誠意的獻言,我沒有這種心思,

我也更沒有這種偉大的權利。

可是:

蘆荻悽唱着,

乾枝澀笑着,

乍結薄冰的河流,

也澌澌流動。

慘淡的感觸,使我的淚痕,凝在心底!

有甚麼呢?

不過如此啊!

是個蕭瑟的天氣,

是在浪漫的意境裏。

我行野中,

晚秋之晨的冷風吹起。

童心

夜靜了

夜靜了!
我開始想去沈睡;
想去滅絕一切使我不能平安與恬靜的思想。

燈光慘淡的搖綠,
風聲淒厲的從窗外灌入。
由風的微聲中,
似乎告我說:雪的細粒,——或者是夜中之霰吧,——打在窗上的薄紙了!
我開始想去沈睡;
我祈禱般的誠心,想使我暫時停了生命的內在的活動。

夜 靜 了

幕上之光啓了!

青髮覆額的她,隱約的坐在夏日的亭上。

凝着要化水的眼波,

望着夕陽下的碧草。

一剎那罷了!

却一夜裏,使我不能避去不睡的煩擾!

心上的箭痕

哦!慘苦與驚嚇的呼聲,

「心」從夜底的黑暗之窟中喊出。

聲漸微細了!

也許是爲黑暗之影壓下啊!

「心」的全體,却漸漸呈現出來,在別一個清白的地上。

可是已不是完全與赤的「心」了!

蜂窠般的箭鋒之痕,已攢成一個血花之圈。

他好容易逃出了黑暗之窟。

醉人的陽光照着;

蓮花的嫩瓣掩着;

溫熱帶了情思的風吹着,

赤色的箭痕，漸漸變成密色。

一團的花簇，
一顆帶色的寶石的光燄。

醉人的陽光照着；
蓮花的嫩瓣掩着；
溫熱帶了情思的風吹着。
箭痕裝滿了的「心」，
從密色中，現出微微的甜笑！

童　心

一個寂寞的死

死終是寂寞的，
但生也何嘗是燦爛喲！

她死得過于寂寞了！
但在她生前，也並未曾有點燦
爛的希望！

在暖風吹散的庭中，
在雪覆了簷瓦的窗前，
她同了幾個姊妹都曾共我笑
語，
不過她終是沈默而且深思，
表現出無限寂寞，
雖在稠人的坐裏。

我當時欽服她的靜默，
同時也爲之憂慮！

一個消息，——一個不幸的消息，終于來了！
她在新年中，竟死在故鄉的家裏。

寂寞的死罷了，
却將她的靜默的心思，永遠永遠也同埋在衰草的墳中！

舊跡

回憶的悽愴，長嵌在童年的心底！

在一個夏日：

杏樹的濃陰之葉，蔽了小小的院宇，

雲雀下吱吱的歌聲，

他們幾乎願將夕陽留住。

俯背的老人，——我家的舊僕，提了鳥籠，正在草地上散步。

他或是想到枝頭上的小鳥，與他籠中的紅頷(一)相比。

我由家中跑出：

覺得到處都了無意趣，

唉！——個奇異的妙想，——

潛潛地走來，

走到他的身後,將他那半斑色的髮辮,繫在手裏。

一個滑稽的事發生了!

他抬頭遠望,

遲緩地起立,

驚異而嘆的呼聲,惹的我笑得彎身不起。

爛熳的笑聲,

如今回思,

比甚麼都自然啊!眞誠啊!

如今啊!

任怎樣的欣慰,這種笑聲,再不能從我多感的心中衝出!

他又笑了,枯瘦的面皮上多了幾重紋摺,

即刻的滑稽的片影,又藏在他奇怪的面底。

他歎息道:

『你啊!小主人!你終是這等頑皮!

你十歲嗎?我還記得清楚。

唉!三年前的舊跡,可堪記憶啊!

在初冬微寒的黃昏之後:

在東圩牆上,我同一個二十七

八歲的人,共蹲立着,

下視着高岸的清溪,

對面朦朧中有雜樹矗立。

風聲淒動;

夜鴟哀啼,

靜靜地神祕中,似聽得流水與

樹中問答的秘語。

他吸着煙,

相距咫只,

只看得見一星之火的晃映,

是在淒冷的衆星下面。

仰看啊！

只有如白斑點成的星河，在衆星中顯出。

我瑟縮地戰慄！

靜聽他的深長的歎氣！

我知道啊！

他是怎樣的憂鬱！愁苦之繩，已將他縛住！

他的神經弱質，更那堪惡社會的磨折；

與家族間的痛苦！

他啊！我也是自幼小時起，見他一天天長起！

那時正如你的今日……』

夕陽慢慢地下沈，

我手中的髮辮也鬆落了。

幼稚無知的笑容，

也從天眞中變爲沈寂！

但老人放下鳥籠又繼續道：

『那個不可忘却的寒夜，

我至今想起，心中也打寒噤啊！

他爲甚麼在那裏踏立？

他將要變成狂人啊！

他神經易激的中心，更何堪社

會與家族間的欺侮！

他不在火爐邊，安享寒夕，

他不同他的家中人，與兒童們

共享愉快！

他要狂了！……

我是保護他的伴侶！

他在那時是何等的悽苦啊！

衆星晶明地嵌在寒空，

却偏不將完全的幸福給予他

啊！

他有一羣可愛的子女，

如今也不願返顧了！

他迎着冷風，抽噎地歎息，

溪水流着，

樹葉響着，

這是怎樣難過的時間啊！……』

『你記得啊！三年前的葬儀。

你那時幾歲啊？被人抱在懷中，

也作嗚咽的啼哭！

你母親啊！

病倒了幾次！哭暈了幾次！

唉！是怎樣慘淡的境遇！

如今啊！

東圩牆上，可還有甚麼足跡？

那少年的人，

誰啊？

你應當記起！

三年了！唉！你父親是那日，——

是個風雪之日，入了墳墓！

咳！我老人，眼見得你三世的人，

如眼光的一息！

好了！如今你竟然也會得活潑

遊戲！

來！來！我們且繞個圈兒！……』

乾澀的音說完了，

他眞純的老泪，也模糊在睫毛

裏！

我迷惘了！哀悽！

眼看着杏陰淡薄了，消失了，

我無意識的心中，似是被壓在

重大的石塊之下，

舊　　跡

呆呆地立着，

不頑了！不狂笑了！也沒得言語！

舊跡吧！

童年之心吧！

父親棄我去十數年了！

即當日提籠的老人，也早埋在故鄉的楊樹根底！

舊跡啊！

你是輪轉的時間之機啊！

到如今你曾遺留與我的，只是心頭悽楚！

(一)紅領乃我家鄉的一種小鳥，比雲雀較大，毛灰色，惟頸下有紅毛一片，頗爲美觀。善鳴，人多養在籠中，以紅領呼之。

靈 心

小 詩

一

風箱由廚下發出澀咽的音,

青煙由煙囪中突出,

是黃昏時候了,

夕陽却在深林中留戀。

二

不想思的思想呵,

却去不了在我的心底!

什麽權力呵,

使我無力的失去了自由。

三

零露之草,

可悲憫地在大野中啼出同情之淚!

在這樣晚秋的天氣,

有誰來憐惜你?

四

不過是秋草罷了!

也值得有祕憐長思之値!

萬事正是如此呢!

更從何處說起?

五

蛛絲之網,永罥在茅簷下,

十年巳過,

園荒廢了,

當日清流的池塘,

如今巳變成乾枯。

偶然看到破屋下的茅簷,

依舊有一片輕動的蛛網罥住。

多少感動啊!何曾寫得出!

六

我未嘗相信快樂是在人生中,

佔有一個位置;

我更難說人的悲哀,蠢如我的苦思。

風止了,

月明了,

而晶結的霜氣,又幕遍了大地。

快樂與悲哀,也是這等的循環與更替喲!

七

朋友!路行倦否?

我只見你汗珠流在額上。

花園中花已散了,

蜜蜂們儘自努力地流連着。

朋友!你飲的青春之酒,尚未醒呢!

我們再進一盃吧!

八

我所親愛的!倘有在不可捕捉的境界裏。

影啊!聲啊!與空冥中隱約的歎息!

我親愛他們,

因此我也親愛自己!

九

楓樹上渲滿了朱紅的色彩,

漁舟歸來,

遠從天際,

楓林中似有他們的故家。

人生是長期的旅行者,

也一樣的似是天際的歸舟。

但人生的故鄉,却在何處?

十

禮拜日的鐘聲,

仍然沈蕩在亂雲深處。

我步下石砌的階坡，

不覺得停住了。

預想在幾多人正在虔誠的祈禱，

樂也祈禱，

憂也祈禱，

從飄動的鐘聲中，

使人起多少悽咽！

光明的白日，

便在我徘徊的足下逝去！

十一

我輟了指上的流聲，

靜對着白死的月明呆望。

不可解析的思想，

與琴之聲，與月之光，融合了淪之了！

更無痕跡。

十二

多年的秋燈之前，

一夕的溫軟之語，

如今隨着飛塵散去，

不知那時的餘音，

又落在誰的心裏？

十三

人間無可寶貴的東西，

有人說爲「麪包問題」。

但籠中的小鳥，

優美的少女，

爲什麼都憂啼，永思，嘆息？

豈是她們所寶貴之物未曾尋到嗎？

十四

大海中一綫波痕！

藏住了多少神祕！

惹起了多少疑思!
更涵有無量數的生之歎息!
一綫波痕罷了!
多少的淚珠,熱吻,煩憂,都葬在
牠的胸裏!

十五

不說罷了!
更何從說起!
不寫罷了!
更何從寫出!
言語中的微風,
筆鋒下的墨跡,
終是「俗物」而已。
何曾絲毫燃到脆弱的心靈之
光裏!

十六

爐火紅處,

甜密的夢境來了!

正是生命在黑暗中跳舞!

十七

墮雪的松枝,

微響似有密語,

什麼言語啊,不能聽見!

我頓然悟到年盡了!

十八

背城的水田,

碧流的菰蒲,

似作了天然的短短籬障。

一行水鷗飛向田中去,

却被車行的煙痕遮斷。

十九

情感的寵兒!

我願熱誠的保護你!

但你所給予我的何在?

煩惱——與痛苦！

二十

一篇小詩，

藝術無妨幼稚啊！

可是她從遠道寄我，

我寵愛的自傲了！

二十一

草地上散滿了遊戲與快樂之聲，

我却徘徊孤立。

你們或者笑我怯懦呀！

我勇熱之氣已充滿了肺腑！

二十二

燕子斜飛的來到，

靜靜地小院裏，便添了多少動的生機。

照影在流水的池中，

却將平淡的波紋映碎。

二十三

多事啊，

柳花之飛舞，

你細的毛羽中，

帶出了多少人的想思啊。

二十四

不去也罷！

正在這個清冷的天氣，

薔薇花竟冒冷開了，

莫非記憶他去！

二十五

海邊的灰色之月，

鐵闌的寵幸啊。

曾附着微香的羅衣。

但四圍的夜霧，將影子來迷濛了。

二十六

脆裂的琴弦，

你的音調終是這般凄澀！

更伴着夜鶯的徹夜之啼！

我的心底啊，多少洗蕩！

二十七

親愛的！

你將這枝香與我也罷！

我可炷牠在我的心田裏；

不要教牠的香氣，空散在冷冷

地空氣裏。

二十八

多少靈感，從活流之泉中射出。

隱藏吧？我不忍的！

贈與他們吧？我太大量了！

請你覓個甜密的地方存儲去！

但在空漠的大地中，

要存儲在何處?

二十九

小草的綠痕,
請你展開吧!
不要吝惜了,
他們都開拓了田地候你啊。

三十

哦!是夜中的更柝,
沈重地,來伴着賣夜食的清唱,
細密的聽去,
長夜的寂寞啊!你到底更有可
淸。

三十一

淚痕失了,
落在白玫瑰的花上,
我誓去覓你,
更不管滿野的零露。

三十二

掇拾起了,

要藏在何處?

吞下吧?

永遠消失吧?

親愛的!

我不願更加痛苦於你!

三十三

路上怎樣有這等繁茂的荊棘?

當春日之來,

我儘遊歸來,在故居之路上。

但他們的針鋒上,都一樣的含

有愉快的生機,

我何曾折損一個。

三十四

檉柳含笑的從容,

在柔嫩的湖水之濱。

白鷗飛上天去，

遊人喧破了靜寂。

但檉柳依然含笑的從容，

一任他們的出去。

如意啊，驕褰啊，

沒有雜在牠的自然的境界裏。

三十五

是初夏的天氣：

滿山上遍浮了野草之香，

我在山半回望，

疎疎地松翠陰中，

是藏住一段凝想。

三十六

只是凝想罷了，

過去的踪跡，更無處尋覓。

記那樣的微雨如絲，

在細涉織就的平坡下，

印着了多少徘徊的足跡!

三十七

松子的散香,
長留在我的平靜與慰安的想
念裏。
野逕中的花兒笑着,
二三個小鳥由雨絲中飛出,
是個何等可記念的天氣啊,
如今都隨着節候的微風散去。

三十八

人生如飛行之矢,
都是遠道的拋棄,
朋友啊!
你果然追着飛行之矢去了嗎?

三十九

微笑中的安閑的清談,
都隨着溫軟的春風,吹向空中

去。

只餘了心上的歎息!

一樣的鳥歌;

雨日;

迷濛地將近黃昏之夕,

但無從再覓回那時的遊跡。

四十

一語;一思,果然也受了命運的支使?

一枝的花香,也不容易常包在袖裏,

到處都可沈思,

終是運回低戀的境地!

四十一

汲水的婦人,

用盡工作的氣力,

担水行來,

水面上浮漾着一朵小花。
她努力保持着水的平度，
花已萎敗了：
她不曾棄却。

四十二

心是玲瓏的翫玉啊，
不過刀痕却永久留着。
髮是蓬鬆的美絲啊，
不過梳痕却在上面。
痕啊，——是人生萬事的底跡。

四十三

石縫下潺潺的流泉，
却被馬蹄踏碎。
水入碎石，
更能清新旅行者的聽覺。
侮辱與破壞，
多是人間的讚美者啊。

四十四

西風中吹來的一葉，

飄向茫茫的海波上去。

是那顆樹上的辭別之葉？

竟將我的秋心帶去了！

四十五

多少心戀的愛，

何曾有一字說得出。

終是腐爛在肝腸中吧？

但我忍不住了！

若要打碎了牠，

我的靈魂又向何處安置？

四十六

綠光罩遍了全城，

知是初夏到了，

而黃鸝已失了她們的嬌柔之音，

我怎能不咒詛人間的繁榮之日。

四十七

風散了，
雲也散了，
只有柔媚的漾痕，
在水上流着。

四十八

舊事的不滅之影，
永藏在人們的靈魂祕處；
或藏在春草的根下，
終是要發生的，——要作人們靈魂的回復。

四十九

不過星夜之下罷了，
爲什麼偏起寒思？
況有心愛充滿，

於是我就無端的微泣!

五十

又是今夜,

雨絲打上了窗簾,

一樣啊,

終是一樣罷了!

却也應記得!

五十一

迷離之夢歸來,

戰慄地使我忘了記憶。

多清寂啊,

是夢後的半夜。

五十二

誰說去,來,今,是在彈指的時間上啊?

夏夜的星光,依然燦爛,

計從我學語的童時,

數到現在。

五十三

偉大的影子，

在身後終日的馳逐，

也一樣是夢想吧？

還是靈潛的感應？

五十四

詩人只合空想罷了，

什麼是刻劃與描寫？

只能灑淚罷了，

什麼是熱烈，與悲壯？

五十五

一片秋雲之破影，

花下更顯得清涼，

盃中滿浮着碧的波痕，

痕中微小的影呀，

想向何處？

五十六

憤怒與狂笑，

是同等「眞」的表現。

壯烈勇奮的歌曲，

常含有幽悽纏綿的調子。

人間是究竟的「矛盾」生活，

墳墓下伏有生動的活機。

五十七

是在五月的節候，

暖風吹得臉上奇熱，

眼睛欲合睡了，

心却希望着。

藤花落滿了草地，

只是不注意的凝視着，

甜密地沈蕩地靈魂，

正附着在那枝可愛的花上？

五十八

心琴微微地響動，

愛人啊！

你可能來奏一曲白鳥之歌？

翩飛的羽翼，

纏綿的嬌音，

白鳥之歌，——便是我的心琴，

與你的靈魂的雙重表現！

五十九

同情斂藏了牠的羽翼，

何曾蓋覆過可憐的人們。

只有妒恨與猜疑，

常植根在不潔的心田裏。

六十

道上的沈醉迷戀之心，

被蒼紫交點的山色掩住，

澗中潺湲的流泉，

莫非是舊日相知之音？

來伴我空山的寂寞!

六十一

心醉了,

正對着一杯紫光之酒。

一個浪遊的黃蜂,

却來伴我。

你也曾熨熱我顫蕩的心嗎?

那麽;一杯悲愛的酒,請同我飲吧。

六十二

霰粒的聲,

敲在窗上,

何等輕清的夜樂,

但誰曾知道啊,

帶來了多少少年們的尋思?

六十三

疲倦努力地圍我,

悲壯繼續地喊我，

我終向何往？

熱淚與躊躇，充滿了我的心田

了。

疲倦啊！終要將你拋在我暗澹

的前路上？

六十四

落日下的林陰，

罩上了神秘的夜縠，

夜鴟啼着，

微蟲鳴在草根下。

信步行來，

悽戀中雜以恐怖。

但我怎忍的別去。

六十五

白燭之花未落，

紅燭又重行燃起，

半夜的庭中，
那里來的這些夢中的象徵啊？
白燭燼了，
紅燭之花，尚未開出，
潔淨終有時勝過熱烈之色，
但絢爛的光，却引誘地在我眼
前跳舞。

六十六

冷清清地園中：
一朵荷花飄在池裏，
遊蜂嬾散地來到，
只在荷葉上尋覓，
荷花誘惑地微笑，
然而美麗的花瓣被風吹去。

六十七

偶然遇到一個背筐的少女：
在秋林之下，

落日的餘光,獨伴她的寂寞。

我願和她相語,却終於止住。

辛苦啊,人間的不幸者!

六十八

一滴露珠,你的淚痕包住。

一陣微香,你的呼吸留住。

一切都是你所有的,幻化的,

爲甚麽不永遠全收在我的心裹?

六十九

門外的柝聲,是打過幾個更次?

寒風猛烈的吹,嬰兒柔軟的哭,

一盞油燈,落一次花燼,又結一次,

冬之夜啊,

淒清的晝圖。

七十

總是無安睡處：
綠洋之底？
花巖之腹？
過於深浸，與過於甜密，
睡在何處啊？
在疏鬆的髮裏吧。

七十一

眼見得一個遠離的世界，
却就消滅在睫毛裏。
耳聽得一曲細妙的音樂，
却湮沈在耳殼裏。
心想到一個甜密的境界，
却永沒曾記起。

七十二

玫瑰笑了，
受了春日的熱吻，
並且低了頭，受陽光的洗禮。

美幻的景色，

他們正繾綣啊，

被窗前跪禱的婦人之影，遮斷了他們的愛迹。

七十三

罪苦的人啊！

我們的白手上，染了許多的血跡，

只合給與林中的野獸啜吮了去罷，

爲何總向生命之海中將無限的波濤攪起？

七十四

強將淚珠咽下，

強將酒盃舉起，

朦朣的白霧，

已將世界籠住。

我們終於衝不出去？

咽下吧，

飲盡了吧，

「且樂今日」，

但我的心，似是埋在冷的墳墓裏！

七十五

盡是侮辱與咀咒者，

要向何處？

玫瑰開了在我的窗前，

細蕊中可容得我去居住？

七十六

如果陸地沈了，

也沒得話說。

如果世界俱燼於火災，

也沒得話說。

陸地上仍有青草之痕，世界上

仍留有生機，

　　我的心情終是燃着！

　　淚痕終是凝在眶裏！

津浦道中

漫天的黃沙，

吹過了滄州去。

『哦！這是個綠林響馬的縱橫地，想到他們在昏夜亂星下的匹馬短刀的生活，』我每過此地，終有這種思想。

但在夕陽的影裏，

卻只餘下無衣的小兒的喊餓聲了。

掩在昏暗之燈光下的德州城，

遠遠地在朦朧中的小市集，

聽見喧囂的語聲，

彷彿是在阿拉伯的一千一夜裏。

一樣

一樣罷了,一切的一切,都是一樣。

誰能真認識誰的形像?

誰能在夜中分得出黃金與石卵?

誰能在熱病裏嘗得出醇酒與糖漿?

長久是在夜中呢,

長久是在熱病裏,

可笑的人啊,

一樣,一切的一切,都是一樣。

爲什麼

爲甚麼在你和我裏分出愛與憎?

在晝和夜裏分出暗與明?

在花與荊棘裏,嗜好分出不同的企望?

在冰雪上與陶醉中,顯得出迷惑與悽冷?

爲甚麼我徘徊在沈鬱的路逕?

我偏病在秋夜的睡中?

爲甚麼我不知何爲上帝,我在心靈中,卻有個祕密與神奇的崇敬?

童　心

爲甚麼可留戀的斜陽之光,好
追隨着我的心影?

爲甚麼呵?是添上我多少的憧
憬。

愛的線

我要打破了愛的線,

我再不願將墜下的汨珠來串。

沈醉在五月的温風裏:

我願化爲松上的蔦蘿,

池中的流泉,

永遠,永遠,沐浴着大自然,

永遠,永遠,剗除了,拋棄了熱情,

沈蕩,纏綿。

但是啊,

蔦蘿偏附在松枝上,

池中的流泉,也同萍花結了緣,

他們互相擁抱着,微笑着向我:

『這是我們的大自然,這也是宇

宙中永久,永久的自然綿延。』

於是我迷惑了!

再拾起泪珠,堅固地穿到心間。

愛的綫,重復擴張周環,

柔弱的我,又一任牠的作踐。

沈醉在五月的溫風裏,

熱烈的音調,來,迸裂了我的心

絃。

弔王心葵先生(一)

有人說琴音是最古的雅樂，
有人說是不能入耳的嘽緩之音。
但高尚的藝術，聽他由七絃中彈出，
如今却永久沈散在杳冥裏。

他是個音樂的愛好者，
也可說平生除了音樂外，無他愛好。
琴調的嘽緩悽咽，
琵琶的鏗錚激烈。
記得在皮庫巷中，大中府裏，
幾度曾將我的靈魂攝悅。
漢宮秋的淒涼；(二)

將軍令的壯咽,(三)
我永沒再聽到第二次的,
但如今都隨了奇怪的不言語
的他,同埋在地下。

記得一個夏夜的燈前:
我們在簾外靜聽着他的琴心
變裂,
有時低緩得如少女密談;
有時抗昂得如將軍倚馬,
有時使我心頭戰動;
有時使我泪沿頰下;
哦!我向來是個音樂的感動者,
况是聽了故鄉的老琴師,
那樣神奇的撥弄絃音,
我當時徘徊在月下,未曾與他
答話。

弔王心葵先生

正是今年的雪至日:
一個消息由故鄉中傳來,
說他死在濟南的旅舍。
哦!說甚麼「人琴俱亡」,
但是這個藝術的愛好者,
已同他的琴音,同沒在蓬蒿下!

他却有個精製的琵琶,掛在我寓舍的牆下,
每在月明透過窗紗時,
我似乎從那塵滿了的絃上,聽到細聲的嗚咽!

(一)王心葵君,名露,係我的同鄉。人極怪僻,自幼卽對於音樂,有特殊的嗜好;尤好古琴與琵琶三十歲游學日本,更精研西洋樂器,名甚高

童　心

噪。章太炎時在東京，聽其琵琶，稱爲寰球無雙。及回國後，卜居於濟南之東流水。民國元年，教育部曾電聘其增訂國歌，不往。在濟南，讀佛書，調素絃，悠然自適。及蔡孑民先生長北大，乃聘爲音樂導師，遂入京。是時我正在京讀書，乃時與幾位友人，往聽其妙音。他也常與我們談及樂理。他之爲人，不知何爲生產，儉樸自奉，而故鄉的家業，則日就零落。去年冬日，回至濟南，我曾往面，言右手指不能屈伸自如，久不復一理絲絃，言時甚爲悶悲！蓋其嗜好藝術，出於天性如此。然竟病死於旅舍。一時聞者，皆爲之悼惜！他對於音樂的著述，散見於北大之音樂雜誌。

(二)漢宮秋爲琴中的調子之一，音極綏怨。

弔王心葵先生

(三)將軍令爲琵琶中最高激之調,但是古時軍中用的。

童　心

夜 行

在旱道中的夜行，

最容易使人起憭慄慘惻之思。

是那個冬盡的夜裏，

一日的汽車行程，

送我回到最懷念的故鄉去。

夜半中旅店的岑寂，

與油燈的搖影；

土牆外馬羣的踏嘶聲；

與隔壁倦於行旅人的鼻息，

使我從多年埋留下的印象裏，

重感到一幅新奇的畫圖。

騾車上的紙燈明了，

我們從冷夜的瑟縮中，上了征

途。

上作着聚結霜氣的衆星，

下走着冰塊凍成的僵路，

寒氣噤得什麼都無了聲息，

只偶然從夜之林裏將朔風吹出。

高下的丘岡，

都散落地，起伏地，罩在黑暗中點點的霜痕之下。

經過的窮村的道旁：

有時也聽到無力的犬聲，在僻巷裏嗚嗚，

想是因爲加重的寒威，牠們的吠聲也變了。

在朦朧地蒙了白幕的河岸旁，

幾個車子都暫時停住。

『好冷的天氣呵！』一個少年的車夫隱在皮帽中說：

『但一斤燒刀,却十分溫過我的皮膚,
走呵!走!
到城中先往趙媼家取暖去,天快雪了,明日是個怎樣可快樂的日子呵!』他有個同伴,戰戰地這樣答復。

於是沈重的鐵鈴,又響動了。
我在冷酷的木箱般的車中,幾乎沒了感覺。
但偷睨着一個明朗的星光,
在我車前引路。

我為甚麼來?
親歷過這久經拋棄的痛苦,
我的同伴,

他微白的下髭，全與霜氣分不出了，

他只在車上噓氣。

我沈熱的心，

何曾被冷氣浸沒。

但手指在袖裏已冰得不能伸縮了。

一幅奇異的夜行——冬夜夜行——的畫圖，

我嘗試着；默計着，

心中是滲融了恐怖與喜愉！

走啊！走！

人間終是在夜中行路。

凍僵了皮膚，不然冰結了心臟。

况有一個明朗的可愛的星，

童　心

在我車前引路。
鈴聲沈鳴着;
輪聲震動着,
黑暗中的莊嚴,
黑暗之莊嚴中的奇麗。
惟一的情感,向我未曾冷結的心中灌注。
前路定有明光。
陰影終將退去。

遠村的雞鳴了,
重結的霜氣已變淡霧。
散落起伏的丘岡,在清爽的晨中已看見如睡的面目。
『走呵!走!』車夫互相勗勵着。
而一個明朗可愛的星,
還在我頭上,向我淡淡地微笑

着指示天曙。

童　心

在松陰的園中

在松陰的園中:

只餘下了露珠和寂寞,

我沈浸的思,在黃昏後的叢松

下。

鳥聲息了,

炊煙滅了,

一切的清寥,獨來伴我。

不久,

露珠全點點地,明如珠光,

閃閃地流瑩,全在松根下來往

這是多大的幸福呵!

讓我來;讓我同她來:

並坐在清寥的夜松下,

我可以默數着我心上的應感,

向她在無言中相答和。

同在靜靜裏,和唱着秋夜之歌。

但促織兒唧唧的鳴在草根下,

我虛想中一切的幻景,都被鳴聲收去了,

只有松上的濤聲,在靜夜裏相對話。

仍然是一切的清寥獨來伴我!

歸　去

歸去！歸去！
白雲之鄉，
銀光之府，
光燦爛，
雲蕩覆，
何必在人間爲泪痕點污。
點污的心靈，要洗滌在白雲裏。

歸去！歸去！
人間那有明光路，
荊棘針鋒相對觸，
好同「鴻豪」永逝去。
折斷了琴絃，
斫缺了銀斧，
不教音調再淒涼。

不見月明再圓露。

童　心

叔言爲畫一雙松流泉圖用詩記之

欹斜了身體的雙松，
下蔭着百尺的流泉。
忽然在一夜，松中起了濤聲，
使得無數的山峯，都漲了綠色。

記憶的邊緣

記憶的邊緣啊！

是渺冥地無盡地遠連接着智慧之海，

與悲思之淵。

固然啊！

也知道有愉慰的背影，遙印在這個邊緣的後面，

但時間是分割了，飄失了，

儘有無量的愉慰，

只能作當時一瞥的幻象；——僅是一瞥的幻象罷了！

而記憶所永遠深深印刻下的，只有悲思！

而悲思也是智慧的果子！

悠妙的琴聲；

童心

美麗的花影;

甜輭的朱唇之香;與沈蕩悽熱的密語,

都是人生盡力的愉慰者,——愉慰的聲;與色;以及思想。

然而迅疾的光陰之流,

早隨着動蕩起落的感興,散落了,消滅了!

時過境遷,

更從何處,找回愉慰的塵跡?

只餘回思吧!

只餘依戀吧!

只餘有記憶的悲哀,隨沿着無盡的邊緣,在微塵中飄動。

果能由此達到智慧之海的深

處嗎?

那末;我也是記憶的追求者。

而邊緣——記憶的邊緣——之色,

卻經久而漸漸地暗淡了,模糊了,

使我空添上怎樣慕戀的哀思。

童　心

一個小小的消息

驀地傳來一個小小的消息，

使我晚餐不能下嚥。

固然是個不值思索的消息呵！

——或者是可這樣說：

然而竟給我一個暫時恐怕分

離的打擊！

我忍了

我忍了！我終於負重般的忍了！
何與他人事，
也值得口舌的毒惡的笑談。
但是我自然地微笑了，
管得作無意識的詛咒者嗎？
　　我將……
我將泪痕融在腹裏；
我將詩思瀉在泪裏；
我何苦爲人受他人的冷誚？
人必何苦爲我嘗盡了苦楚？

設使只是有一枝花向我微笑，
我決定地：
終將泪痕融在腹裏；
終將詩思瀉在泪裏。

童　心

裸露的眞誠

誰願將清白的身體，在人間呈露？

誰敢剖解了胸懷，說心絡中沒有折曲？

但爲甚麼終將眞誠隱在黑暗之窟裏？

裸露的眞誠，

徒惹起人間的笑聲與恥辱。

誰也情願呵，——情願給眞誠穿上蔽體的衣服。

我終不能忍受眞情的壓迫，

我終不能著起束縛的衣服。

我不畏街道上的冷酷的嘲笑，

終要裸露開眞誠的身體。

眞誠含了泪痕,狂走在炎日裏,
牠終是光明的生着;動着;
永久地走牠在自然中的長途,
設若牠的泪痕尙沒有乾的時。

童心

花影

花影瘦在架下，

人影瘦在牆裏，

是三月的末日了，

獨有個黃鶯在枝上鳴着。

夜　半

人語寂了，

風雨息了，

夜半醒來，

是怎樣的清寥煩擾！

重重疊疊地夢；

恍恍惚惚地思；

縹緲復縹緲地悲哀，

都來了，全都迸上心潮來了！

燃着了燈火喲，

太明亮些。

披衣坐起喲，

太冷冽些。

人語寂了，

風聲息了，

是個給我以不安寧之打擊的
夜半。

萬有都在暗中行呢:生呢;攻襲
與協助。
世界上至少也有一半人正在
沈眠中,
是個愉快與安適的春睡之夜。
人語寂了,
風雨息了,
在大的沈默中,
我卻彷彿正在飲了麻醉劑以
後。
可敬愛與可咒詛的沈默,——
黑暗之沈默。
死靈正在飲你的血,
生人正在吃你的藥。

夜半

人語寂了，
風雨息了，
或者這正是我的心琴，奏出清朗的曲調的時候。

紅談的星光，在我眼外跳舞，
白紙的幻畫，在我心外畫出。
說不出；更從何處說出！
記不得；我更記不得這樣清楚！
人語寂了，
風雨息了，
我或是正摸索在黑暗之夢裏！

159

默　心

人　間

飲醉的人間，

過於狂虐了！

擊碎了女神的美像，

燒盡了世界的繁花，

使一切都變成沙粒。

再沒有一點「生之機」，

再向這荒涼的世界萌露出牠的嫩芽。

那末：　血冷了，

　　　　樂聲止了，

一切都成爲永久，恐怖的黑暗，

他們方在沙磧下由巉巉的牙齒中露出笑容。

惡毒的人們！

更何須我來向你們詛咒。

冰凍的屍塊下!

還望你們的復生的靈魂?

凶狂的目光中獨留下侮辱與

冷虐的毒燄。

孰信人間,竟這樣慘刻與暴戾!

只是獨抱了「心琴」,

平靜地奏着低音,

唱着寂寞的輓歌,

且向茫茫的碧波上行去。

詛咒又何須呵!

誰再敢說人們的心尙有熱血

在深處沸漲!

悠悠的碧波,

我從今與你聯袂遨遊,

相信相依,

童　心

不再向人間——冷如僵石的人間作酬答的笑語。

招 引

疏疏的簾痕，

濛濛的月痕，

誘人的銀光，

由簾紋中透進。

不是甜的香，

不是夢的魂，

在這個淒清的境裏，

似是有個人兒向我招引，

隨牠去麼？

我——抛不了身前的簾痕，月痕；

更抛不了這片刻銀光的温存。

不願隨着在虛無的人逃往虛空。

片時的慰安呵，

或可勝過永遠永遠地招引。

人家

人家對我巧的笑，

我便慰安。

人家對我乞求的叫，

我便討厭。

飛鳥銜撞在籠裏，

嬌花須幽藏於鐵檻，

纔是人們的心願。

少有同情的人呵！

燈　下

燈下的舊痕，

從迷惘中飛過了。

盛開之筵的盃前，

甜適之語的聲裏，

外邊有人來了，

請她歸去。

白燭的燄下，

只餘了我家人的評語，

只餘了我第一次的心頭顫慄！

在山徑中

在蒼茫的荒山徑中，
作倦怠的行旅：
烈日在當空灼炙，
更沒有許多蔭影的樹木。
矮矮的牆，
矮矮的屋，
折斷的笆籬，
覓食的雛雞。
一個赤足的孩子，
將我們引到一間沈黑而有泥息的屋裏。
三個硬麪的饅頭，
一碗淸水，
強咽的吃過了。
回頭看去，

童心

那個小孩正在咬着指頭饑乳。
一個破衣的婦人進來，
放下柴擔，
敞開胸懷，
安慰着孩子，——
卻連聲向我們道着辛苦。

每在蒼茫的荒山徑中，
使我想起初見的畫圖。
赤足的小孩咬着指頭，
破衣的婦人抱了他，
還連聲向我們道着辛苦。

小的伴侶

瓶中的紫藤，

落了一茶盃的花片。

有個人病了，

只有個蜂兒在窗前伴他。

雖是香散了，

花也落了，

但這纔是小的伴侶呵！

偶閱長生殿有此詩
首句卽引爲小詩

滿處裏西風喇喇，

驚得河岸上的榆枝忽咽幽唱。

我待要將心兒放去，

隨了落葉呀向無盡處自由飄蕩。

但凄零零的雨點，

卻總把我的孤寂的心弦緊上。

向天涯遠望，

向舊夢悽惶！

可奈那纏綿沈鬱的新別正塡滿了沸熱的心腔！

湖　心

遙空蒙翠幕，

碧水漾柔波。

風在短蘆中吹笛，

蟬在綠陰深處倦歌。

童　心

晨遊

晨日之光，鮮潤地罩在滿地的鳳尾草上，
柳陰中的鳥兒爭鳴，
架上的藤葉微笑，
我卻無聊地走在乾了的荷池邊。
好一片蒼翠與空爽的風景呵！
卻沒個人言語。
無聊寂立便自然感到落寞。
卻好來了四個女孩兒：
一般的鬆髮短裙，
撲着芭蕉扇兒，
來捉兩個小雲雀。
終於被她們捉去，
樹蔭下惟聽得姊妹的笑語。

晨　遊

微紅的面上，
露出了戰勝者的得色，
便同到堤上在綠陰中啜茶去。

他人的笑語，——
他人眞誠而快樂的笑語，
何曾減卻我的無聊的寂寞。
但在大自然中，
卻分外添了生氣。
是不可無花，
　不可無樹；
　不可無鳥兒的歌聲，
　不可無女孩兒的笑語。

但我在久立的遲疑，
望着濃密的綠陰中，——如霧
非霧。

173

童　心

而久占在中心的寂寞，
終不能匆匆離去！
拾了一個榛子，
打在柳葉上，
卻落在汚泥裏。

燈前的小坐

燈前的小坐，

使得我心沸騰了！

默默地思，

索索地想，

總不能傳達出心絃的和鳴之音。

有個影兒在身後吧？

卻未曾覺得。

忽然聽到巷外淒淒切切的絃聲，

我驀然地又墮回人生之網裏來了。

香燼了

香燼了，

葉落了，

夜鶯之啼音歇了，

簾下的月痕也淡得沒了銀色。

人遠了，

信杳了，

一片憂心的迴蕩！

泪痕滴在月下，

也永遠消失了去！

眼光的流痛

我願依偎着你的髮畔，
永遠嗅得甜潤的香，
我便不向人生之網中亂撞了。

我願常聽見你的言語，
如音樂般的調諧，
我便不願去聽那空山的流泉。

但被你潤濕的眼光向我無告般地注視時，
我便覺得情願到人生之網中去衝撞去！
情願在空山中寂寞地去聽流泉！
眼光的流痛，

童　心

使我要拋棄一切了！

人生的領受

只是有斑痕的迹象呵；

只是發青光的恍惚呵；

只是偶然嗅到的迷香呵，

這正是人生的領受，——對於無盡的領受。

暴風起了：

迹象變了，

青光失了，

偶然嗅到的迷香也被陣風吹散。

只此便已足呵，

是人生之一刹那領受的迴環。

一個夢罷了；

童心

我明明記得將泪珠穿在髮上，
無數的泪珠，
化爲無數的明星，
綴在天空；——淡黃色之夏夜的天空。
但晶瑩的泪珠，在醒來時卻滴在枕畔。
哦！人生的領受也是這樣的
　　奇幻！

迹象的斑痕呵；
恍惚的青光呵；
少頃間的迷香氤氳，
都化爲醒後的泪痕。
人生的領受不過於客少麽？
然只此呵，
又誰能常常享有？

良夜歌

半夜的街頭:
陰暗的樹蔭中,
瀉蕩着如銀的月色,
微風吹起,
掃盡了一天的煩熱。

道旁的理髮舖裏,
燈光下,
彈弄出胡琴與月琴的聲音,
激越而沈蕩,
　並且綿渺地含着幽咽。
我由門前經過,
半夜街頭的樂聲,
使我深深地感到細微的愉慰,
與隱藏的傷感!

童心

終古是長明的明月，
而這樣的良夜，
在短短的一年中能有幾個？

『朋友呵！
你不要將這樣良夜來匆匆拋卻！
你不要向深思之淵中，作憂夢的生活。
世界的黃金有時會變成黑鐵。
你的心碎了，髮落了，
你向人間曾否找到眞誠的慰藉？
只此片刻中，也只有是在此片刻中，
朋友呵！

你的心絃，或者與我的心絃調和』。

迷惘的夜行中，

似是月琴的絃聲，同我細細地說。

遠了，更遠了，

如銀的月色，在樹蔭中仍然流瀉着。

絃音沈蕩而激越，

並且綿渺地含着憂咽。

一隻夜鶯的歌聲，斷續地和了街頭的繁音，唱着『良夜之歌』。

十一，六，三，夜中由街頭步行歸時。

虛偽

『人是不可虛僞的』，

這眞使人笑死了。

誰不是由虛僞之網中度過來，

——或者正在時時的度過？

虛僞與人生何嘗離卻。

人生的背面，就是着色的面具

與刮膚的利刃。

獨行的歌者

一

獨行的歌者,
常是踯躅在荊棘的道中。
朔風吹着松林的密語,
霜霰散在沒有苔痕的石上,
萬象的冷荒;
冷荒的萬象,
都掩不住他的歌聲抑揚。

二

是在暗灰的冷雲之下;
是在藏了陽光的世界上,
沒個鳥兒來伴他沈吟;
沒個蟲兒來同他幽唱,
但他的心絃緊張,
他的歌聲愈加激昂,

揮着泪痕作他的樂師,

流出同情來,贊他的音調的悠揚。

他不須博些聾了耳的人們的讚賞;

他更不須那些用耳代心者的無謂的讚賞,

只有青松與霜霰,來慰他的寂寞罷了!

就令有萬千人的掌聲,

更不如沈默的笑望。

三

世界的花園,

是安藏在我心中央。

這美麗的萬花中,

嵌了個主宰者的聖像。

銀灰的月色落了,

斜轉到綠陰叢裏，

像那將永別之情人的眼波凝望。

而萬花中的聖像笑了，

『親愛的！在這赤裸裸地青天下，

你要向何處躲藏？

來呵，

用一杯花蜜的酒，

來潤紅了你的悴憔的面呀！

你莫再掩起了溫柔之光，

多少生在黑暗，死在黑暗的人們，

詛呪你，與妬恨你呵！

他們只是心頭上掛了迷幔。

在這個紫玉之盃中，

且飲下這口青春的醇醲。

看銀河的秋漲，

數衆星的朗朗，
呵！你要在此冷酷的世界，
留下一點餘光。
呵！你要對這些孤寂的花兒，
不要去的匆忙。』
漲漲漲，
看世界外的銀河秋漲。
落落落，
誰曾留下過長回秘窟的月亮？
人間是這樣的匆忙，
一瞬息呵的虛想！
世界的花園，
或者就在這一瞬息中間。……
藏，……

四

『是誰喂了野鷲的肉？
是誰割掉了天使的翅膀？

腥的臭,香的血,

同向人海中相合流蕩。

在血花中,漂出了現動出多少異相。

側笑的羅蘭花;

雪白的矛頭亮;

頭顱的個個,

個個中滿裝了米屑香。

在微香中,

只見得血海茫茫。

野鷲盤旋在赤雲上,

天使早墮在血海的漩渦中了,

無窮的血波,

流向何處去?

去瀉盡了你們的滓質與骯髒?

縱有在血海中開出羅蘭花,

也是與血痕一樣!。

五

他孤寂地唱。

無盡的曠野，

布滿了他的高响。

朔風已息了狂吹，

松枝都低了頭，

同來聽這個獨行者的幻想的歌聲。

如死臥的大地上，

只有這個狂憤的高唱；

只有這個獨行人的高唱。

六

『是誰種下了「自由」的種糧？

是誰耕起了「蘊識」的土壤？

是誰作了第一首的「愛歌」？

惹得人至今還眼泪淋浪。

多事呵！人間的迴想，

心頭的火燃,

終須呵,——

終須燒不盡這大地的堅強。

七

『海洋成了冰窖,

火山熄了烈燄,

蝴蝶冷死在枯花上,

香酒永永沾留在乾唇上。

…………………

世界的花園,

原不是建築在天堂,

但是在人們的足下,便作成灰土飛揚。

明月已經消失了潤光,

夜鶯已喑了歌喉,

一切的物質呵,

都在黑暗的翼下掩藏。

多少滲出血痕的利牙，
到處伸張；
那處伸張，
末日的……
末日的人間變相！……

八

『我咀恨着無始無終的宇宙的物象，
我再不忍看着這個造出來的世界，變爲荒涼。
有幸福的人們呵！
你們只在心頭想吧！
足底下作成了多少的罪惡現相！
一手執着媚笑的羅蘭花；
一手執着帶血的矛頭亮，
這是人間的勇士，

這才是可讚美的勇士呵!

唉!

揚盡了大海之波,

果能洗盡了恥辱的魔障?

我不願更生了!

我不願再唱!

九

『南行呵,

南行到玄冥之海濱,

獨有那玄冥之海,

當鼓起銀波動蕩。

在那涼月下,

好共她(海)結個愛的幻像。

我沈眠在那裏;

永永地沈眠在那裏,

閉了日光,

好靜聽淼之海的音樂,

來伴我死後的心中悽惶!
長久地睡在她的胸中,
再不向齷齪的人間,
作回顧的模樣。
海之胸呵,——
南海之胸呵,
你的碧潤的波光;
你的柔軟的皮膚;
你的常常歡笑的容顏;
你的潤濕的脣香,
我去!……去!永不離你,……』

十

於是詩人的歌聲止了,
天地的中間充滿了黑暗。
狂風吹送着空中的雷聲,
濕雲橫罩了大野。
萬聲作了,

詩人却倒臥在松林下。

勇威的風，

彷彿正在替他奏着悲哀的輓歌，

在紛亂震怒中的松林淒語，

似乎作深長的歎息。

他閉目臥在冰冷的道上，

萎乾的荊棘，

刺破了他的胸膺。

僵凍的身，

紅熱的血，

都似是隨同了他的靈魂顫慄！

十一

樂聲起了，

風聲止了，

雷聲也沈沈的逝了，

在空中正奏梵琳之曲，

海之女正在雲間舞。
冉冉地飛下,
由她的衣上,替這個荒冷黑暗
的世界,燃起了萬千的青光之燭。
珍珠綠了烟紗的衣邊,
衣邊上拖起了靉靆的白霧。
她含了綠波般的目光,
已深深地照到這個曠野獨行
之歌者的辛苦!
翩躚翩躚地飛下,
飛在密語的松林裏。

十二

她用白羽之裾,
　　金絲之髮,
將死去的歌者的靈魂引起。
溫柔地抱在臂中,
去安撫他的顫慄!

她似是與他耳語:

『癡狂的夢境呵,

夢境的回復。

你嗅得了我的髮香,

你攀附着我的長裾,

你的靈魂,可憐的人呵!

我將使你有一個世界的明光,

照到你,另創造出一個世界的花園,

使你大願的夢境,

不至長留在這塊荒冷之地。

十三

『哦! 你的熱血灑呵灑,

你的心聲凄呵凄,

你的高歌起呵起,

人間的罪悔,

何曾沾到你的身體。

童　心

你要憑你的心火,焚熱的力,

再要將世界,

重行燒過重搏鑄!

你不要嘲笑着矛頭;

你不要怕骯髒的血污,

地獄的人間,

宇宙之終古的地獄。

燃呵!燃呵!

憑我的弱腕,爲你的助力!

十四

『親愛的!曾經在世界上餓死的靈魂!

你且聽我歌一曲:

我不唱給世界上的懦夫,

我不爲凍了心腹的詩人,作呻吟的安慰。

我是表白出大海的勇力,

送達出熱望的躊躕，
我要將世界花園之復生，
來詳細告你。』

十五

歌者的靈魂醒，
海女的嬌顏喜，
她給他飲了復生的酒，
她開始唱她的世界花園的復生曲。

十六

『人間沒有乾淨土呵！
其實宇宙原來是冰冷之地。
喜悅在那裏？
悲苦在那裏？
還不是鏡中的烟霧，
烟濛濛，
霧濛濛；

童　心

你既不煩惱,何必貪癡?
人生原是無根蒂呵,
你看春池中的流萍,
到秋來變成了滓泥,
滓泥是妙蓮花所藏住的胸腹。
流轉流轉呵,
緣遇緣遇,
你莫死在這片荒冷地。
不過快樂了幾個鷹鷲:
不過便宜了幾個螞蟻,
誰來聽過你的獨行之歌?
誰曾爲你的歌聲,將泪珠濕遍
了塵土?
你不要只向人間詛呪與憤妒,
你的心火,不將世界
來重行燒却重搏鑄,
玄冥之海,

也閉了門戶，

那容你怯懦者的投入。

十七

『世界的花園，

要從你的心造起！

你呵！怯懦的人呵！

你不把牠來踐在足下，

你爲何將牠拋在虛無處？

看呵，

狂風還能吼，

松林還能語，

還有一個事物在世界上存立，

親愛的！你的熱血的心，便捨棄去？

十八

『你爲甚麼忘了所飲的青春之酒的奮興力？

你爲甚麼棄卻了熱血包成的心腑;一任牠爲風雨消蝕去?

你爲甚麽只能唱出悲哀般的怨歌,

卻不勇敢的奏着進行之曲?

一任着血波的汎濫;

一任着毒箭的紛射;

一任着這個世界墮入迷窟。

親愛的!燃吧!燃吧!

你的心火,竟這樣熄去,

你沒有想到松林正在密語中嘲笑你。

十九

『歸去,歸去,

我先要隨了白霧歸去。

放你的靈魂,

再在人間馳逐歌哭,

你儘量而眞誠的歌哭,
那管得人們的笑辱。
獨行呵!強健的獨行者,
莫乾了你的泪痕;
莫罄盡了同情的流注。
萬花中的聖像,
終有一日在世界呈露!
世界的花園,
不能永遠地在足下藏住!
復生呵!復生呵!
你要向銀河中再漲起波潮;
你要在混沌的人間指點出朗朗的衆星,
世界的花園,就在這裏。
不使荒枯的荊棘都着了花呵,
你且滯留着;
你且歌哭着;

莫將怯弱的靈魂,追隨着我的輕裾。』

二十

樂聲起了,

風聲止了,

海女逝了,

翩躚的輕雲接了她的歸路。

烟濛濛;

濛濛霧,

遠了遠了,永向空中去。

悠呵揚呵,細歌聲的縹渺。

高呵下呵,煙紗之衣的飛舞。

於是雷聲微震了,

朔風也微微吹起,

獨行的歌者復生了!

迷離的歸魂,

似乎聽見松林的密語:

『靜靜地賀呵，

一個詩人，——一個荒道中獨行的詩人復生了！

未來呵！靜靜地且等待去！且讓他尋覓去！』

十一，六，九日，草於北京。

夜泛平湖秋月

獨自一個人,

還有個老舟子的伴侶。

在微茫的月色中,

撐向湖心去。

漸遠水漸平,

漸遠月漸出。

一個明鏡高映在平湖上;

一個全湖全映在鏡裏。

一堆銀光全聚在舟前處。

我心平平地——

精神的悠往,全在水與月的中間滲融住。

蕩呵,蕩呵,

湖畔的人聲在隱約中了,

堤上的樹影卻在水面上顯出

參差的影子。

在半明的水中，

如平織的煙紋相似。

平湖上的石磯邊，

幾個人正對月飲茶，笑語，

我於是微微地感到孤寂！

但有月光送我歸去，

只此片刻的眷戀，

已引誘我的幽思到渺冥中無限的深處。

遊西湖泊舟於丁家山下

鬱鬱修竹，
風微蕩之。
灼灼蓮花，
方隄繞之。
竹籬內有顆小的紅樹，
可惜我不知牠的名字。

輕風鼓起布篷的帆腹，
舟行愈快，
舟子愈用力。
我在水上
擷得一枝菱花，
先曬在舟中，
以備歸時好慰我的寂寞。

金山寺塔之最上層

一層一層,
轉走在陰森森地佛像座下。
第五層了,
第六層了,
幽暗的恐怖,細微的戰慄。
在最高層上:
長江滾滾,
浪花旋激,
掩投了無數嬝娜的帆影,
兩岸的綠樹,青山,
都似齊擁在我的懷抱裏。
隔江遠望:
壯闊而飄舉——我瞬時的感思。
塔欄輕窄,
天風吹動,

似要將我的軀殼擲出欄外去。
反映着孤塔的斜陽，
下籠住紺碧相間的江水，
似微笑着嘲笑我少年的趦趄。

只在這片刻中:已失的心情，
向何處尋覓?
看風濤的無端沈起，
恍惚的人生——全漂浮於須臾。
待他日來時:
如練的長江，
高聳的鐘塔，
誰能認識過去的足跡?

理安寺外

萬千個竹影，

森森。

斜上的石逕，

崎嶇。

不見陽光來，

只有清風去復住。

看四圍的山色碧沈沈地，

卻沒個人言語。

從圖畫中

滿野的稻田，

碧濛濛似籠着綠色的面幕。

方畦中夾開的荷花，

似正在垂頸低語。

這是瀟灑風景的片影呵！

一隻水鷗斜飛去；

一線斜陽映射去；

一瞬的眼光流過去。

田邊井上的踏歌聲裏，

從圖畫中，又送我返回故鄉去。

海濱的雨後

一夜的急雨，

萬山都被綠色染上了眉痕。

北望海中，

片片白帆下的漁舟，

飽吸了多少雨後之晨的清霧？

病後

聽她寂寞的病後,
使我幽沈的心,多載了一重過去的憂慮!
一樣的慰安與問訊,
只是更不能在人前說出!
從流視的眼波中;
從淡蹙的眉痕裏,
我已領悟出她中心的凄苦!

惆悵呵!人間的無可如何之日!
銀漢斜了,
微雨凄零在窗下,
我不得不去!
她送我歸來,
在亂花的庭中,

彷彿寄留下我的過去的憂慮！

……

不言之慕

「慕」啊!

我已經見過你的顏色,

　已聽過你幽祕的言辭。

但只是「慕」呵,

我何曾敢說得出!

鬢髮的慵鬆,

家常的裝束。

聰穎而玲瓏的心思,

我從你的明潔的雙眸中看出。

這自然是我應幽祕的思想,

但怎樣不使我心上感到痛苦!

撇下吧,

割卻吧,

待不如此,——

不言之慕

「慕」而沈默的辛惱卻永永嵌在

我幽沈的心門裏。

童心

讀清人詞有「往事如流後期成夢」句頗有感於心因作此詩

往事長蕩在胸中,
而心絃的和鳴之聲卻一流永逝。
那一日黃昏細雨中的庭院,
那一時陰雨後在青松下徘徊的足迹,
「生」之流呵,
更從何處追起?
已是永隨了生命的前浪流向無盡的岸邊去。
空留下,——
空留下過去的尋思、追憶、憧憬在易感的心頭!

讀詞有感

夢呵!

我默默地更怕向煩苦的人間

往前尋覓!

况更從何時期待起?

不悵惘於過去之幽途,

又何須將後期的影事在心上

懸掛、淒迷!

池上雛燕的燕尾剪剪,

剪去了多少的春痕?

江邊的蘆荻凄唱,

唱送去一年一年的秋日!

只這如飄煙飛散的「人生」後期,

還動蕩在夢裏!

還希望在夢裏!

丟掉了多少心珠?

童　心

打疊起多少悵悒?

只換得一個「流」字。

「流」呵!

我,甜蜜的遺跡;

我,辛苦的時間之敵,

誰不是常穿了你的裳衣,——

隨飛雲而逝?

偶聚

偶向渺茫,泛浮的人間,
作幾個刹那的合聚,
三萬六千日的幾百分之幾?
短促,迅忽,
泪痕不待得凝注,
思流不待得溢起。
只留下依戀洸蕩的熱感,
向心頭上撞擊!

他生呵,或者飛火燃盡了死後的靈魂,
今生呵,更從何處覓回這如電的夢境迷離?
甜適中的小言,
燈影下的鬟低,

獻心

幾個刹那的偶聚呵!

從那裏吹來的印迹?

他生,今生,都是漂雲,飛絮,

我要抛却了窄窄難釋的心痕,

抛向何處去?

在蓮葉的捲尖中吧?

過於輕露了;

在藕節的圓孔中吧?

過於深祕了。

只可抛撇牠在時間機上,

讓牠永遠地離去,分棄!

偶聚呵!

又向茫茫的人間,

多添上一册眞實的記憶!

偶　　　　聚

心呵！你竟是這樣柔脆與紛擾的飄浮在夜雲深處！

童　心

秋夕的觸感

我不甘願向眞實的境地中尋覓悲哀，

我也終不能儘向幻想的網中迷惘着生活。

然眞實的悲哀却時時來接觸我！——分割！

我願奏起狂歡的音樂；

我願痛飲長醉的醇醪，

使我忘却，——

而且陶醉在無思的夢裏。

但悲哀之翼，

與牠那白弱的光華，却連續地引動我與拂逐我的縹緲之思。

況更有零雨淒遲，

夜風蕭索。

豈敢希望長遠的慰恍；
而情熱的火燄却在胸頭燃着；
不知因由的泪痕縱橫墮瀉；
悶苦的氣壓在空間起落，
惟有窗前梧葉的雨聲，
似在空虛中伴我。

淅淅落落，
燈光暗了，
雞鳴相和。
獨留下温馨趣味的感戀；與酸
咽的離思攪上心波。
在眼角中流過，
在半夢中驚覺。
已往的永逝難回，
只給我永印下蕩動與沈渺的

童　心

心燈，

我，——更向何處藏躲？

明湖夜遊

如豔裝的月亮，

將她的清光向全湖中流瀉，

蘆荻在唱着，

水聲在船頭船尾流出輕妙的響，

清風微動，

從披垂的柳絲下掠過。

我們臥着說着，

說到那掬水月在手，

以及一年明月今宵多，

纏綿而可愛的詩句，

使得我靜靜的心上又着着多少感興的印象。

明月的今宵呵，

童心

今宵的明月!
湖光下面倒映出微動的青天
將那三三五五的星光掩却。
但僅使過去了這一時呵,——
可愛而難長留的一時呵,
更從何處再找到她的眼波?
更從何處得找到她的眼波?

月光斜了,
淡霧重了,
全湖上靜悄悄地,
只有蘆荻在唱着,
船下的水作出凄笛般的音樂,
歸去呵,
只有永向遊人留情的柳絲尙
自緩緩的舞着,
這時我的全身仿在靜境中融

合了，

暗淡中忽看出一絲燈火在湖畔的樓的窗中一明一滅……一明一滅。

煩熱

中夜的煩熱，

星光自漸漸少了，

無邊的熱氛將天空圍住，

我的心尖在這如同永遠包圍

下暖幕中，

更煽炎了，

更增漲了。

流螢在暗裏飛來飛去，

隣人們在隔院中無力般的作。

忽　遇

『哦！　來了！

我們正擬家居。

……更說不定何日再見！

然在這秋日的紙屏風下却忽

地遇了你……！』

指尖嫩弱的微觸；

明眸的悄然凝注；

一盃的苦茗飲下。

難言的悽惶，

却使得全身顫慄！

「易離輕別，」

匆匆的人間，如此而已！

若將這些微眞誠的悲感湮沒，

童心

若沒有這樣溫柔同情的互訴，
那末，如此淡漠的人生，
又誰能耐得？

誰曾知道，
在片刻中沈壓下的痛苦……？
悲劇的一角罷了！
心上涵容得住，
在思域中自由衝起，
但在靜默中時，
却都從筆尖上收起。

空想中的陶醉呵！只要從滿盛
醴體的盃中找到眞趣。
飲烈酒的青年，
正是他心頭的火燄燃起。

邂逅

聽到夜柝的更聲，
緩咽低沈，
漸遠漸去。
多少不幸的聲音由此中傳出？
多少沈纂的陰影在更聲後面追逐？

向地獄中
去尋覓前生失落的圓珠。
青光的火焰燃了，
鐵鏁在四周密布。
但我仍然是逛回反顧，
因爲已經看見她的光輝在黑暗的淵裏。

昨夜裏去夢摘商星，
今日却走入花徑的深處。

童心

虛幻的光亮呵，
就止於這樣閃動追逐，——那
裏是眞實的迹象？
在冥冥中的權威，終不許我接
觸她光麗的鋒鋩。

失望或者是智慧的邊涯，
但「悲之靈」却已衝破了人間的
網罟！
…………
刦灰的搏戰終埋沒了天地，
在此中更從何處得覓到「忽遇」
的象迹？

酬　答

將孤寂藏在心裏，

強向人們作微笑的酬答。

酬答呵，

一個虛偽的謎，教我如何打得破？

不眠

不眠也好呵,

只是虛寂的恐怖,與墜落的憧憬,

擾亂了我的心曲。

張開眼睛吧,

討厭帳影的微動。

熄了燈火吧,

無數黑暗的箭,便齊向我心頭射起。

同情的尋覓

集合而偏處的人間,

爲甚麼偏要有缺陷與憂泣?

同情是人與人互相輻射的光熱,

爲甚麼偏是愚笨的被藏起?

全能與愉悅,

全消失在淚光裏。

一陣角聲在中夜吹起;

一滴淚痕在花下乾去;

一葉的飄泊在空中飛舞;.

一個幼兒的哭聲在草地裏;

一切的一切,都引起我戰抖與悲傷的心意!

童心

「快樂」與「功利」的鈍言辭,
我請你們收起罷!
至少我也要將他們屏除在我的思域之外。
我豈是願再受僞言的誑欺!

我只甘心的聽與看:
一陣角聲;
一滴泪痕;
一葉的飄泊;
幼兒的啼哭,
雖是他們不能給我以慰安,
但我再不願知有卑鄙與可恥的誑言,刺在我的心裏像荆棘一般。
我寧願全得罪人間,
我只要去向荒莽中覓得同情去!

松陰下的倦(城南公園中所想)

一

松隙滲漏下的淡日光，
我沈沈的覺得倦意來襲。
　茶汁冷了，
　書兒在一邊拋起。
頭上的音樂；
　松針刷刷，
耳旁的柔聲；
　細語喁喁，
但又怎能喚回我半臥時造成的幽想。

二

如綠烟似的；——
如織成的翠羽的斜紋似的
圍繞我的叢松，

榆葉梅花團葉兒，

都使我看得成如烟似的，

如織成似的。

三

於是我便將久蕩動想,沈

回到我的生命的舊領域去

了。

四

如穿成的碎珠般，

偏是那樣的一觸即散。

一個蠅子來了，

一陣從細髮上散出來的烈香，

都幾時將我的生命的領域，

攪衝成片片斷斷。

但還連鎖得起呀。

哦！ 我是爲甚麼來的。

五

斜陽淡淡地，

飛鴿翩躚地，

連同我的「生」之微倦，——

織成了一個迷迷網。

……………………

一段舊痕猛然從心版上凸起；

一字的語音猛然從虛空中傳遞，

思想啊！低沈在「倦」的羽翼下了。

我彷彿無力的羔羊，

一切，——一切啊！都不能激動與引誘我了。

六

某年的晨行道中；

朝露晶瑩綴在豌豆葉上，

掠飛在鳥兒在灝氣中游翔。

……………………

路轉了，

遠樹由濛中透出微笑的面目，

去了！遠了！

猶復縈念着昨夕的細雨。——

七

一個春盡的初夏日：

臥虹橋畔的突遇，

車兒忽忽，

影兒卒卒，

但留下那永流不回的一霎凝睇。

柳絲交織，

烟突驚鳴，

只是如此，——便一切又消歸無有！

八

在窗下沈沈地欲入春盡的夢

思：

一個綠衣人敲門來了，——

意外的緘扎。

不須再記，

更那敢再記，

小封中的蟲蟲，

原只配吞吸着冰漿合成的茶汁。

…………………………

『我近來腮兒灼熱，

思爲物滯。

每日的功課便是：

坐在秋風吹來的小庭中，

……縈思，……尋覓，……

將來呵——只有付諸神秘。……』

九

如暗雲中一閃閃地電光；

如霜夜中一陣陣地蛩語。

我似在舊夢的歷程中迴往遊歷，

但更沒從發現一個新印的足跡！

十

何曾暢飲「生」之酒，

但如釀醉後的無力；

何曾沈浸到「醉」之淵，

但視呵，聽呵，以及思力，都弱地如輕絮。

十一

有時我也向萬能的主宰祈求；

有時我也願向放浪的沈淵中投去，

但沒有嚼過的橄欖，

怎知牠的甜蜜與辛澀呵！

却獨留下這一點點——就只這一點點的柔光照澈我的心底。

十二

血淚滂沱的身軀，

夢思戕伐的皮骨。

宇宙的核心，

教我怎樣地辛苦惆惆地去尋覓你呵！

十三

我早已說過了，

朋友！

不是甜的香，

不是夢的魂，

但只這般恍惚的誘引，

只這般縹渺的思間，

這也似是在『愉快的聽呵，

夜風從一葉到一葉的吹過。』

雖是愉快的聽，

更那堪想到向落黃的堆中去

計算將來的一葉一葉的命運!

十四

醒來了，——却何曾呢。

歸去吧，——更向何方?

回思如退潮的逆流，

『倦』如夜翼的開張。

但圍繞我的叢松，

榆葉梅的團葉兒，

如烟似的;

如織成的翠羽的斜紋似的，

仍然在大自然中作牠們微笑

而安閑的工作。

誰不是呢!

而我惘惘地終似丟掉了一個

宇宙的核心!

小　坐

見面時有甚麼可說?

如抽絲似的,

如咽絃似的,

有甚麼可說?

但壅在胸中的話却分外添了沈重的悽楚!

狂風吹動屋瓦,

擁衾獨坐,

便抽咽的歎息!

低了頭兒將泪痕輕拭。

更何心去想嬌月的姿容爲暗雲所掩,——

星河爲飛靄所翳、

難眠原不是難過的時間阿,

但連個夢兒也不准我嘗到一

點。

　　冥茫縹渺的安慰，

人生只在苦虐中流轉。

人前的笑語，

時過後總覺得頭暈了。

及至在孤燈斜射的窗下，

看西沈的淡月，

在青天中欲斂却她的嬌容。

疎疎的星，

閃閃的螢，

一爍一蕩的夜之光，

引動我，我於是更覺得頭痛欲

破。

泰山下賓館中之一夜

疲倦已包圍住全身，

意想却印出舊夢。

紗窗外月光如練似向我尋證前盟，

……………………

雖有錦褥華茵，怎奈何思潮泛湧！

鄰室鼾聲，汽笛哀鳴，

南風與夜柯微語，

耳畔饑蚊，也正在覓求生命。

萬有的人間——重重疊疊，

疊疊重重，幸福阿！尙有「我」來導領？

數不盡星空中的明星;

聽不盡靈府裏的幽鳴。

綿渺,飛絮的飄動。

蒼茫,前路在望中?

幸福呵,自有「我」來打破宇宙中多少靜境?

茫茫,……幽幽,

沈沈,……悽悽,

晨風的歌者,曾唱與月姊傾聽,

微醉後不眠的靈魂,也似沈墜在此難言繪的意境。只是如此——

卧對着窺人的皎月,我心頭怔忡!……泛湧!

萬有的人間,——浩渺的大海,

更那裏有思潮的歸程?

在泰嶽下的賓館中,一夜失眠,書

泰山下之一夜

風却暑的月如銀色塗窗，四鐘起借電燈力書此，遂披浴衣趨庭外，時高與雲齊的泰岱羣峰皆於晨霧中，吸清氣如飲甜醪，緩步草際，涼露濕衣，只遠遠聞得農夫同上田隴時的微隱。其景清絕，然再作一詩便窮思不得了。

十二，六，二七夜不眠早四鐘寫。

童心

日觀峰上的夕照

一

是夕陽之幻光?

是晚霞之返照?

不能名狀的絳、縞、蔚藍……交射互耀。

在雲層中被忝蕩的「朱輪」,

欲沈未沈將盡猶留,似在峻峯頂上,向人間憑弔。

蒼蒼茫茫……衆山羅列上的天空。

沈沈悠悠……新捉到的印象,在我心頭震跳!

二

曲帶金明,是泗水之環迴,

圓甖蒼涵,是泰城之郭繞。

但高峯上，

　猶有蒼松；

　猶有飛鳥；

更有我們的凝望、永思、狂言、長嘯。

是人間世遺塵飛上諸天。

是宇宙大流中的微波溶入泥淖。

三

我立在天風浪裏心頭震戰，——

而從人間帶來的歸心，

飄渺飄渺，

似在層層幻色的雲中丟了！……

十二，六，三十日。

童心

期望

何處的陰塵，

罩沒了柔碧的湖光？

垂絲柳如披髮少婦，

玉蕊蓮如縞袂之仙女，

在水中央，水之中央呵！——

還槳同來，

只不忘那人何往！

葦隄的柔葉上分散幽香，

沈陰下的黃昏，當有湖鳧的嘔

呀而鳴，飛入冥茫。

低首欄前——

看魚响細浪吹成微浪；

看槳影分來萍蹤四盪。

沈沈幽心浮在水中央，

奶——寫

水中央啊！你可向流泉下迅流去我「頭望」的呼聲，……

強似引誘地迷惑地將個個神祕的波兒打碎我的心房！

十二，八，五日夕由明湖歸來寫於燈下。

一夕話

一

悲哉一夕話，
仿彿在綠林中微聽風嘯。
人間的網；密如蜂巢，
　韌如利刀。
從何年刻畫起多少的星雲圖
貌？
從何年纔剖得開混沌的大竅？
如今呵！慘怛而蕭條，——
慘怛，蕭條呵，你是悲鬱者的繩
條，
自然由此中可以放「生」遠逝，也
可以升向天堂中微笑。

二

頭上枕了鉛塊，向冷冰冰地床

二夕話

上臥倒，

街頭喊賣的聲音曼長，

階前草際的蟲聲凄嘐。

孤燈伴影，

仿彿在外心頭有甚麼棄掉！

熱炙面頰，

強向窗外的秋星注視，

更誰知道是天曉！

十二，九月。

蜜心

在薄虹色的網中

遊行在薄虹色的網中，
悵望着現有一綫乳白的天杪
我心絃在幽微地低鳴，
玉箜篌由我胸中丟掉！
我腦蒂在煩亂地冷痛，
俯飲着淡紅的葡萄酒的空盃
——
藉來潤我的苦嘯。

東門下桑葉陰翳，
一個提籃的少女在綠色的影中彳亍。
她念着他那心頭上的明珠，
不知何時被那人兒嵌去？
哀哀鴻的布穀，

茸茸顫的茶茹,

她戀着歸去,——歸去,——

她那裏忘得了她那明珠。

西門下清溪滃如,

無邊山色展開了翠色回腸,

呼吸着幽閒的灝氣。

鬖鬖銀髮的漁夫,

餌兒丟了,鈎兒失去。

痴望着千古矗立的青山,

迴思,咀嚼着他那多少年前口邊的餘蜜!

他的一生所餘的惟此,

青山,灝氣,都融化在他的無言的默思裏!

南門下妖狐長嘯,

童　心

住篙莽中驚起了沈睡的鳥雛，
他在夜火的天裏，
舞弄着由靈胸中吐出的丹珠，
她忘記了獵夫的磨石成鋒的
箭鏃，
她不再計算在門後便埋藏着
網罝。
她樂那生命的衡泛的頃刻，
她愉慰着爲宇宙的一息。

北門下白骼敗露，
露綢之下的荒郊沒有獸跡，
只裸露的髑髏對舞，
他們不曾讚美世界的奇秘，
他們也不曾爲空虛的世界多
說咒詛。
那不是浮生的塵影的墜散呵？

那不是刹那間的歧途?

我不再想用玉筌篌吹成落梅的淒調,
也不想由幻影的海中將我的靈魂覓取,
無酒的盃中已給了我的印痕不少,
週轉的苦痛,快樂,擁抱,煩惱,
已足夠了,雖有醇醪,更有誰來相邀?
在薄虹色的網中,
我看見四方——四方的遠處,全爲迷塵與悲風環繞,只有——只有一淺乳白色的象徵懸在天杪。

十二,十月七日。

童　心

誰能安眠

在這沈沈如滿佈着的黑雲的夜中,誰能安眠?鼠子在食物的籃中嚙蝕有聲,白楊的枯葉在凍僵的枝上微泣,天涯外那裏來的孤雁愴鳴?在瀟瀟的雨中,淒淒幽唱的風中,誰能安眠?軟褥,香枕,只感到如灼熱的荊針刺在起粟的皮膚之下。

「生」在喊着囈呼的痛音;「死」在地獄之門露出巉巉的白齒,苦笑着守定無數的紅灼的火柱,期待着我們在上面作髑髏的舞踏;金雀花在雰霧中顫影,嬌柔地魔咒似的向我們招引,然而虢虢的霹靂在其中同火輪相激震,骰兒枯了，心兒蕩了，看！無量數的裸蟲，都在沒有出路的黏網中蠕動！

你記憶那穴居木處的生活嗎？你渴慕那戛玉鳴琴的幽地嗎？你希望將甜蜜與銳利的箭鏃射入你的中心嗎？抑或你願聽到那海洋底下珊瑚林中鼉龍嚼骨的聲音？

你要如此——是要用咀咒呵還是悲切的哀求？

夜的一隅，從苦悶中；從嚙蝕的聲中，從微泣的聲中，從愴鳴與幽鳴的聲中，牠尖利的喝呼避開了「生」的呼囑，與驚落了「死」所預布的幻影疾迅的說：『我不是激切地咀咒的本身，也不是凄惻地哀求的源泉，我只有等待，待得你們的

童心

希望,記憶,渴慕以及色彩,聲音,一切的一切都來到時,我要在無花的危巖上給你們開個展覽,——請你們選擇,任你們苦樂,我只有在那時去剷去你們立足的層石,與激翻下面的狂浪。』

一切的羣聲,似乎暫時都寂,金雀花還在那霧靄中顫影?霹靂在空中尙與火輪相激震嗎?

朋友,你知道的與我相似!

蛟龍吞蝕不了的心痕

我心成碎錦,尙點在鋒利的剪頭;

我體同紅心絳蠟,尙垂着盈盈的珠泪。

飄逝了溫風柔雨中的靈魂,只消向碧波中永永沈墜!

萬千刼後,偶有入海尋求珍貝的漁夫,

他或者發現這蛟龍吞蝕不了的心痕!

十三,五月。

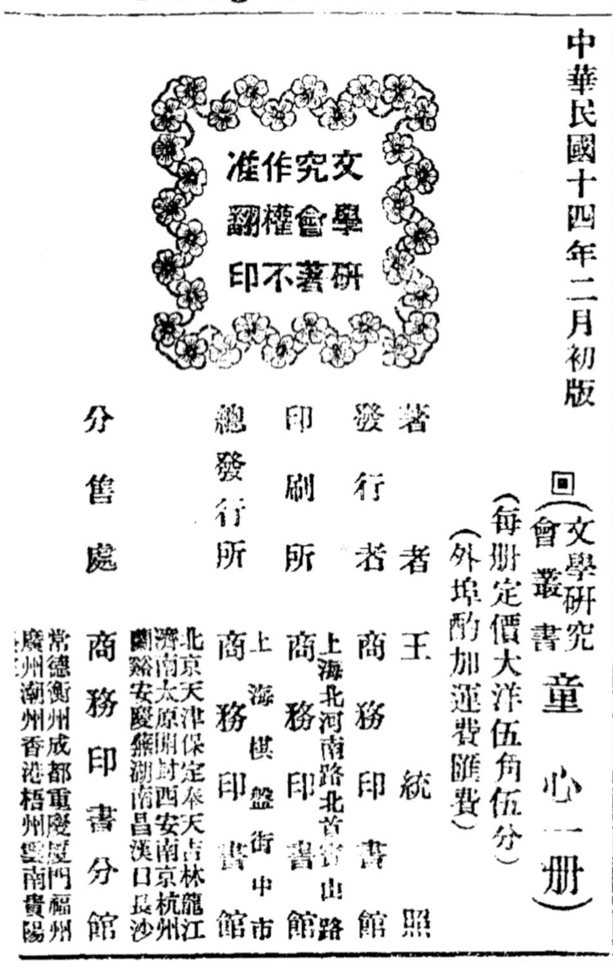
Chinese Literary Association Series
Innocence and Other Poems
By T. C. Wang
The Comme.cial Press, Limited

中華民國十四年二月初版

(文學研究會叢書)童心一册
(每册定價大洋伍角伍分)
(外埠酌加運費匯費)

著者　王統照
發行者　商務印書館
印刷所　上海北河南路北首寶山路　商務印書館
總發行所　上海棋盤街中市　商務印書館
分售處　北京天津保定奉天吉林龍江濟南太原開封西安南京杭州蘭谿安慶蕪湖南昌漢口長沙常德衡州成都重慶廈門福州廣州潮州香港梧州雲南貴陽　商務印書分館